新住岡夜晃選集

[一] 僧伽の誕生

一九一八年(大正七年)—一九二三年(大正一二年)

法藏館

若き日の住岡夜晃
住岡は1914（大正3）年20歳で吉坂尋常高等小学校に赴任し、2年後に飯室高等小学校の首席訓導となった。その頃の写真である

住岡夜晃の生家
1955（昭和30）年に撮影。その後、建て替えられ、写真の家は現存していない

『光明』第１号の表紙
1919（大正８）年１月発行。この発行をもって、真宗光明団創立としている

発刊の辞

このたび、『新住岡夜晃選集』全五巻を刊行することとなりました。

住岡夜晃は、一八九五年（明治二十八年）に生まれ、一九四九年（昭和二十四年）に五十五歳で生涯を閉じました。生まれ育った広島県は、浄土真宗の土徳の厚い安芸門徒の地域でした。朝夕の仏前でのお勤めをせずに食事をとることなど考えられない家庭で、厳しくまた優しい両親の教育のもと、七人兄弟の長男として、貧しいながらも、仏様を中心とした温かい光の中で育ちました。法座の日、村人は最前列の席を空けて、小学校からの帰りを待ったといわれます。

青年となった二十四歳夏の嵐の日、求め悶える心の中に信の灯が点りました。「狂風」と名のった彼は、近隣の青年たち数十名に檄文を配布し、共に真実を求めて歩もうと呼びかけ、ここに真宗光明団が創始されたのです。以来三十年余、一日一日岩を摑んで岸壁を登るように、渾身の力を求道と教化と僧伽の営みに注ぎ、如来のお心の前に生涯立ち続け生ききったのです。

住岡夜晃は出遇う人に心から接してその運命に共感し、演壇に立っては説法獅子吼の人となり、一人になっては沈思憶念して執筆に励みました。真実を説く経典群、これを受けとめた七高僧を中心とした人たちの歩み、それらの仏法の歴史の神髄を顕した親鸞聖人の教え。これらのお聖教を正面に据え、深く丁寧に、その一言一句が自らの心の琴線に触れ、我が身を奮い立たせるまで、読みぬき頂きぬきました。その著作の多くは真宗光明団の毎月の機関誌に掲載され、これを待ちわびて読む同朋もまた、師の夜晃と同じように心打たれて感謝し、感動に身を震わせて立ち上がったのです。

人間に生まれたことの真の意味と喜びを見出し、限りない感謝の中で力いっぱい生きんとする願心に燃える多くの人たちを、人生に真の勝利の凱歌をあげることができた多くの人たちを、住岡夜晃の生涯にわたる歩みと、そこから紡ぎ出されたことばが生み出したのです。

住岡夜晃没後十三回忌を記念して『住岡夜晃全集』全二十巻が刊行されました。二十巻八千頁に如来大悲への帰命と讃嘆のことばが溢れています。十年後『住岡夜晃選集』全五巻が刊行され、ほぼ半世紀を経た今年、住岡夜晃の七十回忌と夜晃の創始した真宗光明団が創立百周年を迎えるに際し、記念のしるしとして本選集全五巻が刊行されることとなったわけです。

住岡夜晃が生きた大正から昭和の終戦直後にかけてと今日とでは、時代状況が大きく移り変わってきています。しかしそれは、人間と社会のいわば表面における変化であって、その深層においては、誰もが真実を求め、真実は誰の心の奥底にも至ろうとし、両者が一つに出遇うことが切に願われているのが、時代を超えた人間の在り方ではないかと思われます。

真実の如来と迷妄の人間との出遇い。この出遇いを自らの課題として求め、経論釈のお聖教に深く尋ね入り、同朋と共に歩みぬいた住岡夜晃の書き表されたものが、真実に出遇おうとする現代の人々の心に、一つの光となって輝き始めることを願ってやみません。

全五巻の構成は、住岡夜晃の生涯を年代順に五つにわけ、その期間に発表された文章の中から『住岡夜晃全集』を底本として選んだものとなっています。

第一巻『僧伽の誕生』は二十四歳からの五年間の草創期。
第二巻『不退の歩み』は三十代前半の忍従と精進の歩み。
第三巻『真実』は眼を内に転じ深く照らされて歩む三十代後半。
第四巻『一筋の道』はただ大法のごとく信じ生きる四十代。
第五巻『仏法ひろまれ』は終戦後の生涯最後の五年間。

本選集の出版をお引き受けくださった株式会社法藏館の西村明高社長、編集全般にわたってご配慮いただきました田中夕子副編集長、また花月亜子さん（京都月出版）に、衷心から感謝の意を表します。

二〇一八年八月十五日

『新住岡夜晃選集』編集委員会代表　**岡本英夫**

新住岡夜晃選集　第一巻　僧伽の誕生　目次

【凡　例】

一、『新住岡夜晃選集』全五巻は、『住岡夜晃全集』全二十巻（昭和三十六年〜昭和四十一年）を底本に、「新住岡夜晃選集編集委員会」において文章を選別・編集した。

二、原文尊重を原則に、可能な限り住岡夜晃の文章通りとしたが、大正期から昭和二十四年までに書かれたもので、現代の読者に読み難いところもあり、以下の点については編集委員会の責任で修正した。

かな遣いや送りがな等は現代表記に改め、段落の区切りや行替えも一部修正したものがある。旧漢字は、現在一般に使用されている常用漢字等に改めるとともに、現在使用されていないもので平がなに直した方が分かり易いものは修正した。また、読み方の難しい仏教用語や漢字・熟語等には編集委員会において振りがなを付し、読者の読み易いように努めた。また、住岡夜晃が独特の読み方をしている箇所のものは、それをそのまま生かして振りがなを付した。

三、「経・論・釈」や親鸞聖人・法然聖人等の著作物からの引用文については、原則として住岡夜晃が使用していた『聖典』（明治書院刊――以下『島地聖典』という）を使い、かな遣いも表記のままとした。なお、漢字は常用漢字等に改められるものは変更した。

また、読者の利便を考慮して、引用文の後ろに（　）で、『島地聖典』、西本願寺の『浄土真宗聖典（註釈版、第二版）』、東本願寺の『真宗聖典』の記載場所を付加して掲載した。

＊『島地聖典』では、通しページ番号ではなく、例えば「二三―三」のようになっているが、「二三」は聖典記載の左右の欄外数字で『歎異抄』を指し、その三ページ目からの引用であることを示している。

（例）「念仏者は無《む》碍《げ》の一道なり　そのいはれいかんとならば、信心の行者には天神地《てんじんち》祇《ぎ》も敬伏《きょうぶく》し、魔《ま》界外《かいげ》道《どう》も障碍《しょうげ》することなし　罪悪も業報《ごうほう》を感ずることあたはず、諸善も及ぶことなき故也と、云々」　（島地二三―三、西八三六、東六二九）

四、文章の中には、差別や偏見など現代の人権感覚に合わない表現があるが、時代背景・歴史的事実にかんがみて、編集委員会としての判断で原文のまま掲載した箇所がある。しかし、差別を助長する意があって掲載するものではない。差別は大きな誤りであり、人権に関する問題は、仏教の教える深い智慧からも解決していくべき課題であると考えている。また、現代科学に即していない内容だが、原文のまま掲載した箇所もある。

五、節題や小見出しは、住岡夜晃の付けたもののままでは意図が伝わり難いと判断したものは、編集委員会の責任で一部変更したり追加したものがある。
（例）第四巻第一章の四「家庭の和楽」（原題）→「念仏中心の家庭」（本選集）

六、「注」については、難解な用語の右に番号で印をつけ、該当ページ近くに付けた。これについては、岩波書店発行の『広辞苑』（第六版）等を参考にし、編集委員会の責任で著した。

七、各巻の最後に、その巻の収録文章の「住岡夜晃著作出典一覧」を付けた。

八、住岡夜晃の生涯を紹介する「略年譜」については、第五巻『仏法ひろまれ』の末尾に付けてある。

以上

序章　おいたち

私は今二十年前の私を思い出す
人生の無常
大地の矛盾
生きることの淋しさ
そうしたものが私の上に
苦悶と読書、不平と沈痛
自暴と努力、卑怯と我慢
暗黒と焦燥等々の一切をもたらした
だが
生命の内奥に動く何ものかが
私をついにこの暗黒からつれ出した
二十四歳の夏
信の火はかすかに点ぜられた
私は初めて生きることの歓喜を知った

一　宿善

私の生家《さと》は、山県郡原村、龍頭山《りゅうずさん》を南に受け、寂しい山里に西南にむけてたてられている。けれども私にはこの寂しい山里の家が一日も忘れられたことがない。この家には、年老いたる父母と可愛い私たちの弟妹が住んでいるからだ。

私は七歳の夏、死が悲しかった。毎晩の様に泣いた。そして、苦しまないで仏の子となった。信心深き父と母とによって。今考えても涙ぐましいほど懐《なつか》しい仏の子の生活を続けた。村人は神童だと言った。若死する子だと言った。道を歩く時、必ず仏への花をもち、口には念仏の声がたえなかった。

私の幼時は体も弱くて小さかったし、意志も弱かったし、肝《きも》も小さかったので、級長にされても、皆のためにあべこべに虐《いじ》められてさっぱり治まらない。それでも品行は上であるし、世間からは評判のよい子であった。親もまたそれが自慢らしかったが、今日から考えると、私の幼時は怖るべき堕落への道を歩んでいたのであった。郡長さんにごほうびをもらったなどと喜んでいる時、驚くべし、魂のぬけたお人形が淋しく立ってごほうびを抱いていたわけである。

二　煩悶

私が小学校教師である頃、県師の附属小学校に招かれた時、親たちの反対で出られなかった。私はそれを恨んだことがある。今の私にはそれはありがたいことであったことが知られて来た。私の願いのかなわぬことが幾度もあった。その度に失望した。

私がまだ二十二歳の時、それは広島市を去ること六里、飯室《いむろ》小学校の首席訓導となって転任したばかりの時であった。段々と暗くなる心、何が何やらわからなくなった心、それでも世間的に先生らしい顔をしたい心、複雑な心を持った私は、私の心の声を聞かねばならない時が来た。二十二歳。俺は今、二十二歳。ああ、二十二歳の秋だ。それが今日まで何をしたか。今俺が斃《たお》れたら汝の一生涯は何であったのか。私は矢も楯《たて》もたまらなくなった。恥ずかしながら、極端にまで、地位と名誉、立身出世と女とのほしかった気の毒なほど貧弱な子は、この子に課せられた宿命らしい灰色の現実の中に「自己」を発見したのだ。

暗い頃から起きて読書しはじめたのは、然り、二十二歳の秋からであった。あれを見よ。歴史の上に輝く古今の聖者、偉人、英雄を！　彼らはいったい、何を知り、何を信じ、何を語り、何を教え、何を生活したのか。同じ太陽を仰ぎ、同じ空気を吸い、同じ水を飲んでいて、私だけは何かしら大きな流れに参加せずしてこのまま地上を去ってもいいのか。

いったい、汝にとって一番大切なのは何か。汝にとって一番、尊ぶべきは何であるのか。「それは汝自身ではないか」。然り、汝自身だ。それであるならば、汝は汝を解け、これ汝に与えられた課題ではないか。汝は今、二十二年の長い間を生きた。しかして汝の獲たものは何であるか。汝が汝のものとして示しうるものは何であるのか。無一物！　そうだ、何もないのだ。しからば二十二年の生涯は、きれいに棒引きである。零《ぜろ》である。こうした悲痛な自己発見の中から、第二の私が生まれた。

私の霊《たましい》が偶像から開放され、人間として目覚めかけた時、十有余年間の仏は煙の様に消えた。言い様のない寂しさが続いた。その後の私は、深い精進の私ではなくて、私の行いたいままを行った。燃える様な狂う様な内部からの欲求のままにまに、二年間の月日は去った。

けれども、とうとう私にも私を再び静かに見ねばならぬ時が来た。私はじっと私の霊を見つめた。そして、熱い涙の幾月は続いた。頭に浮かぶものは何、「私は忠実《まじめ》に生きねばならぬ！」、私には、罪の裁きを受ける時が来た。内的革命に急ぐ時が来た。二年の月日は去った。そして、私は私の内に醜い私の内をいつわりおおせなかった。失ってしまわれぬ一物を見た。私は救われる外《ほか》なかったのだ。私は暴風の様な過去に於て、又と二度得られないものを得て来た。

三　信の火

人生の無常、大地の矛盾、生きることのさびしさを痛感した彼の胸にも更生の日が訪れた。苦悶と読書、不平と沈うつ、自暴と卑怯、暗黒と焦燥、そうした長い日がおわって信の火はかすかに点ぜられた。それは彼が二十四歳の夏だった。

私が狂風と号したのは私が二十四歳の年でした。何ゆえに狂風と言ったか。それを語れば長いことになりますが、そのころの私は、私自体の無明煩悩も狂風そのものでしたし、大悲の風もまた私を根こそぎ動かす激しい嵐でした。最初の念仏の夜もまた狂風吹きすさぶ夜でした。

第一章　親しい若い皆様よ

ああ春！　美しい春！
春！　春、春
何度思ってもうれしい
あたたかい寝床の中で楽しい夢に目をさまして
健やかな体をピンとおどらして起きあがると
雀の鳴いているのが聞こえます
外をのぞくと、春雨が静かに降っています
遠近の山には霞がかかって藍色にぼかされています
寒くもなければ暑くもない
ただ気持よくあたたかな春雨の朝
何と気持のよいことでしょう
二分ばかりのびた柳のきれいな緑色の芽が洗われています
そして、伸びているのが見えるようです
一雨ごとに花が咲きます、芽が出ます
春！　美しい春！
万物が活きる！
何度言っても春はうれしい
若い私ら、人として活きようとする私らが
この活気のある春、何もしないでいられよう

一　親しい若い皆様よ

大正七年十一月十五日

親しい若い皆様よ！
皆様は今
何を考えて暮らしていますか？
何を為《な》して暮らしていますか？
何を聞いて暮らしていますか？

朝から晩まで考えることは自分の利益にのみなることとや、他人《ひと》の出世や幸福を見て悪《にく》むことや、どうかして他人に自分を賢く美しく思わせることばかりが多くはありませんか。皆様は、濁った濁った世の人々が、自分の方に自分の方にと、自分の利益になることや名誉になることばかり考えたり、犬畜生が一匹の魚を争う様に、人と人とが争い乱れているのを毎日見はしませんか。皆様は、こんな人たちの中で、やはり、その勢いにひかされて、自分の利益や名誉にのみなることや、他人の財産や幸福や風体《なり》を見て嫉《ねた》むことや、親兄弟友人を泣かすことや、無駄なお金を使うことや、自分の不幸を歎くこと、こんな事をなすことが多くありませんか。

ああ！　私はつまらない人間です。心は悪いことのみ多く考えていました。そしてそれが好きでした。目はやはり悪いことや、つまらないことを思うのが好きでした。耳は、世の中の賤《いや》しい出来事や、他人の不名誉になることや、無駄なことのみを進んで聞きました。口は他人を悪い様に言っておとしいれたり、他人を欺《あざむ》いたり、自分をかざるために使ったりすることに一番よく使いました。体は他人のためになることをした事は少なく、心から同情して人に物を与えたこともありません。世のため国のためにもまた力いっぱい働いてはいなかったのです。この手はつまらない事にも親の辛苦の凝結《かたまり》であるお金を出しました。この足はあぶないところにもつまらないところにも行ったのです。幾度か、自己の理想や事業やに向かって成功しようと、大決心、大勇猛心、大奮発をおこした事はあっても、その十分の一も出来たことはない。ああ、僕は自分ながら自分の心や体がなさけなくなりました。自分で自分を見下げ果ててしまいました。

それだけでなく、人生の目的とは……幸福とは……宗教とは……こんな疑いも次から次へと出て行きます。僕の目からはとめどもなく熱い涙が出て悲しくてたまらない。死ねばいいか、消えればいいか、生きればいいか、迷わなければならなくなりました。

しかし、僕は救われました。救われました。如何に歓喜が僕の心をおどらしたことでしょう。

若い皆様、皆様は現実の苦しみに泣いてはいないか。あるいはまた安価な享楽に一時の苦からのがれるに苦心しはしませんか。お金がなければ駄目だと、悲しんでいる貧しい人はありませんか。親しい父母に早く別れて、この世をつまらないと思っている人はありませんか。自分が病気なのや体の弱いのをはかなんでいる人もありましょう。家柄が悪いと言われて悲観している人、家内《やうち》が悪くて面白くない人、人に馬鹿にされて無念で残念で、瞋恚《しんに》の炎に燃えている人、子供に親切にされないで泣いている親、親が自己の思想を知ってくれないと怒っている子供、自分で自分の意志が弱かったり、事の出来ないのを見くびっている人、こんな色々なことで苦しんでいる人はありませんか。

迷う人は苦しい。ちょうどそれは煙の中にいる間は、いくらもがいても、もがいても、煙たいのです。煙の上に出ましょう。眠りから覚めましょう。心の光を見出しましょう。

皆さんよ、穢《きたな》い泥の中にも蓮の花は咲いた。浮華文弱《ふかぶんじゃく》の元禄時代にも四十七士の精神的美花は開いた。世の中は悪魔の世の中となっても、その中に住む自分までが悪魔となり、けがれては駄目です。目を覚ましましょう。僕と二人であの尊い光を見ましょう。献身的に努力的生活に入りましょう。そうだ、二人で、ただ二人で働こう、苦しもう。その生活、その苦悩は、引いて永遠の幸福、真の感謝に入ることができるであろう。僕らには銭《ぜに》はなくてもよい、働けば得られるから。食べ物はまずくてもよいではありませんか、それでも生きて行かれるから。人は自分等を悪く言ってもよいではありませんか。

自分の心さえ正しければ、たとえ前は悪くても、洗われ救われて正しくなれば。人の道をはずれて貯えた金が何でしょう。弱い者からいじめ取った富に何の価値《ねうち》があるか。大きな家も何だろう。人はその大きな家をはなれ、金銭、衣服、装飾《かざり》をみんな取り除《の》けて、生まれたままそのままと、それに自分の努力で勝ち得た精神的なある物とより外に、価値を見ることは出来ません。

僕らはもっともっと心が直《すぐ》くて飾らず、本当の自分をさらけ出してみようではないか。その時にのみ僕らは自分のつまらない事、悪いこと、いやな事が真実に知られてくるでしょう。しかし、皆さんの中には「私はそんな悪いことはしない、自分は頭もよい、今もなお勉学を続けている、自分は自分で尊く思っている」こんなに言う人があろう。そんな人は夜色沈々として更《ふ》ける時、独り自ら考えてごらん。親から送った学資や買ってくれた着物を一度でも、ああすまないと親を拝んで使ったことがありますか。恩を受けた人に感謝しましたか。否、かえって恩を仇で返したことはありませんか。あなたを人がいじめたり、罵《ののし》る時、その人を哀れな人間と思って、その人のために幸福を祈り、また退いて、自分の心や行いを反省してみたことがありますか。

わかりましたか。かくした時、僕らはきっと自分のけがれていることに気がつこう。それで好い。それでいい。自己不満を感じ、懺悔《さんげ》の涙にくれた時、そこには必ず救済《すくい》の道が開けているでしょう。

僕と一緒に行きましょう。まず正しい「人」になりましょう。悪い心に責められた苦しみから、善を求める尊い苦しみに進みましょう（実際は苦ではないが）。それはきっと歓《おおよろこび》喜の趣味的生活に入るでしょう。僕一人より、あなた二人と、二人よりも、あなたの友と三人、三人より四人と、できるだけ沢山の人と共に進みましょう。

ただ「僕らは楽しければいいのだ、金さえ得ればいいのだ、名誉にさえなればかまわん。苦しんで『人』になろうなどとは思わん。人生五十年だ、太く短く、心愉快に自分さえ暮らせたらいい」こんなに思う人にはもちろん用事はありません。

僕らは人のために、社会のために、神のために、仏のために働かなければなりません。烏《う》合《ごう》の衆が百人来てくれるより、醒《さ》めようと心から望むあなた一人が僕にはどれだけ嬉しいやら尊いやら知れないのです。

醒めんとする若い男子諸君よ、来たれ、来たれ、しかして僕らを鞭打てよ。

君らは十日と風呂に入らないことはあるまい。一日として顔を洗わないことはあるまい。それなのに心を洗うことは一年に一度もしない人はないか。学校で修身の話はきくだろう。寺で僧侶達の話はきくだろう。しかし、自ら求めるところなく、いやいや十年修身の話を聞いても、物見がてらに一生寺に参詣《さんけい》しても、何が得られよう。心を洗うとは、汚れた邪悪な心を一度でも善美な崇高な事柄や、話や、行為や、精神によって、感激して心の垢を除《の》けて、心の光を出さすようにする事だ。僕らは一日に一度でもいい、心から懺悔し、黙考して、幾久しく、心の光明《ひかり》を見いだすよう、心の奥の深い泉を流して洗わねばならぬ。諸君の前途には幾多の艱難辛苦《かんなんしんく》があろう。多幸な時は失敗の基だ、誡《いまし》めねばならぬ。死にたいような不幸失敗があろう。その時すら、僕らは仏に感謝し、悲観の代わりに大勇猛心によって突破しなければならない。しかし、その力、その信念はその時に得られるのではない。

今から醒めよう、今から真の人になろう。

ゲーテは、「汝にして真に熱心ならしめば、後と言わず、今直《ただ》ちにこの瞬間において、為すべきを為しはじむべし」と言った。

若い女子の皆様よ、世の中には女子の使命たる「人生を美化し、浄化する」ことを忘れて、怒りやすく、熱しやすく、激しやすく、理知の判断をあやまって、目の見えない鳥の様に、至る所で鼻をうち、頭をうち、口をうって、ここからそこ、そこからかしこと、迷い迷って自分で知らないでいる様な人が世の中にいるのを、僕は悲しまずにはいられません。僕は女子を馬鹿にしたり、腹を立たせようと思って言うのではありません。姑息《こそく》な愛や慈悲のために夫の一生をあやまったり、自分の一生を亡ぼしたり、子供の一生を反古《ほご》にしたり、名誉ある夫の地位を失わせたりした者は、古来、否、今の世も沢山あります。

同情は皆さんの最も大切な美しい宝です。そうです。至宝です。優しい皆様の心から流れて出る同情は、たとえば深山《みやま》から清く流れて出る泉です。如何なる鬼のような荒くれ男の心でもやわらげて人の情に泣かせます。その偉大な力は如何なる汚れたる者をも浄化し、如何なる無情な者をも翻然《ほんぜん》として人の道に活《い》きさせます。よく考えてごらん、皆様のこの唯一の武器は如何に使われました。ともすればこの清い流れは濁って、しかも反対に流れはしませんか。人をねたむ嫉妬の滝となったり、瞋恚の流れと化したり、邪見の雨と降ったり、愚痴の湖となりはしませんか。

奥に行きましょう。皆さんの心の奥の奥に遡《さかのぼ》って、この泉を力いっぱい綺麗に澄ませて、清いままを人に注ぎましょう。

若き諸君よ、親しき同胞よ、清き者はいよいよ清く、穢《けが》れた者は清められん事を求めて救われましょう。イエス・キリストは、五人の夫を持ち一人の情夫を持っていたサマリヤの女をも、とがめず、これを教え、これを救い、そして永生に入らせました。釈迦は菩提樹下で心中の百千億万無量の悪魔と戦って、ついに「無上正等覚」の位に入りました。一念発起するとき、弱き者は強められ、悲しき者は救われ、不幸の者は祈られます。自己の小さな知識を鼻にかけてはなりません。自分の汚れている事を歎くこともいりません。奮闘しようと言うのです。救われようと言うのです。幸福になろうというのです。

将《まさ》に精神的に亡びようとする村、家、字《あざ》を目の前に見ています。そうです。あえて言います。利己のために亡びようとする村、字、家を見ては、いたずらにため息を出しているだけではありません。夜半、鈴張川《すずはり》の辺《ほとり》の古樹は僕に「哀れなる亡びんとする村よ、倒れんとする字の人よ、もがいているのを見るのがつらいわい。若者よ、活《い》きよ、醒《さ》めよ、正義の水に……」とあわれに悲しく歌って聞かせました。

諸君よ、奮《ふる》え。

諸人よ、さめよ、人になろう。

僕の言わんとすることはつきた。

心の琴線《きんせん》が僕の心と共に鳴る人、「そうだ」と感じて大勇猛心の起こった人、醒めようと思う人は、一人でも、友達と二人でも、兄弟姉妹と三人でも、僕のところに何か書いて送ってください。好奇心や人真似や飾りの人は一人もほしくありません。こうして集まった人、それは真に語るに足る人です。他村の人も他県の人も少しもいといません。皆さんには顔を知らない友ができるでしょう。そして、僕は何かはじめたいと思います。

十一月十五日
住岡狂風謹述

二　若き同胞よ

一、吾等は光栄ある青年である

皆様よ、僕らは青年である。国の将来がどんなになるのも、僕らの行動如何にあることだ。僕らには社会人類の幸福を進める義務もある。日本の先ざきをして、一層強く美しくすべき義務もある。国のために命をすつべき時もあろう。自分の一家をおこし、自分の知能をみがき、精神修養によって人格の向上等、数えきれないたくさんな仕事がある。僕らの心の中には、大を求め善を求めんとする心、すべてを愛せんとする熱情がもえている。目的に向かっては万難を排して突進しようとする意気がある。悪い者をこらして弱い者を助けようとする義侠心もある。

僕らが力を合わせて事にあたれば、どんな大きな事業でも出来よう。僕らの体の中には、赤い赤い燃える様な血が流れている。どんなことでもいとわない元気がある。僕らは努めさえすればどんなにでもなれる。ああ、この心、この体を以て、将に人生の大海に出ようとする青年には、何物も及ばない光栄がある。

二、青年の前途は未知数である

僕らは今人生の出発点に立っている。進むべき道は数十数百に分かれている。どの道にでも行かれる。一生涯、人の厄介になる乞食にでもなれるし、一国の大臣にでもなれる。人を救い世を救う尊い道にも進めるし、悪魔となって進むこともできる。僕らの前途はわからない。一家を立派におさめ、夫を助けて事業をなさしめ、子供の教育を完全にして、幸福な一生を送る婦人にでもなれるし、虚栄心に走って一生をあやまり、年老いて人生の不幸に泣く婦人にでもなれれば、泣いたり怒ったり愚痴を言ったりして、一家の和楽や幸福をこわす厄介な女にでもなれる。

皆さんよ、太閤殿下と言われた秀吉にも草履《ぞうり》取りの青年時代もあった。左甚五郎の様な立派な大工でも穴ほり大工の青年時代もあったのだ。下男であった青年が村で屈指の金満家ともなれば、教育もない一職工から身をおこして、今は高等教育を受けた者を使って大事業をしている数十万円の請負業者（僕の村の人）もいれば、小使いから身をおこして大臣になった者もいる。僕は必ずしも金や位が尊いというのではないが、あの様に青年時代の者の前途は未知数である。尊き青年よ、諸君よ、今何を考えている。

三、理想は富か位か名誉か楽か

僕らは今人生の出発点だと言った。それなら僕らはその行くべき道を定めなければならない。諸君は心に決めているか。どちらに行こうか。城の様な家を持った大金持ちになりたい。正何位、勲何等と肩書のついた人になろうか。世の人がうやまってくれる名誉の人になろうか。一生涯楽のできる人になろうか。女子の人なら、金持ちの家に行きたい、身分の高い人の妻になりたい、楽な、体に骨のおれないところに行きたい等、色々な目的があろう。

しかし諸君よ、考えちがったら駄目である。誰でも金も欲しい、位も欲しい、名誉も欲しいと思っている。しかし、それは決して自然に出来たのではない。誰かが働いて、働いて、貯めたから金持ちがいるのだ。国家に功労があるから位がついたのだ。世のために人のために尽くしたから名誉があるのだ。これを一言で言えば「努力」だ。努力すればきっと何かが得られるのだ。人は皆職業がなければならぬ。職業には、農もあれば商業も大工も左官も石工も官吏も数えきれないほどあるが、どの職業とて尊い賤しいは決してない、そんな職業があればこそ世の中は立って行くのだ。ただ尊い賤しいがつくのは、その職業に目ざめて働くかどうかにあることなのだ。食うに困る貧乏人からしぼり取って金をためる金持ちより、清く正しく働く貧乏人がどれほど尊いか知れないし、京都市にあった様に、悪いことをして監獄に行く高い月給取りのお役人よりも、汗と脂で米をつくり出すお百姓の方がどれだけ尊いか知れない。

だから職業は何でもよい、めざめてやればどんな職業でも尊い。「職業につくのは食うためだ」という考えはまちがっている。職業を持たない犬や猫でも食って行くではないか。僕らが職業を求めるのは、人と世につくさんがためである。世の人はまちがっている。もし自分のためばかりにという「利己心」から職業につくものは、きっと世の中に害を及ぼす者である。又そんな人は決して成功するものではない。僕らはただ正しい心で自分の職業に努力すれば、そこにはきっと何物かが得られる。

諸君よ、金や位や名誉に目がくれてはならない、何処に行っても諸君はただ如何にすれば、世を益し、人のためになるかを考えなければならない。ただ努力せよ、努力せよ。

四、流汗鍛錬の生活

流汗鍛錬《たんれん》の生活とは、汗脂《あせあぶら》を出して、困難な仕事をして、精神や身体を鍛えあげる生活、艱難辛苦の生活の事だ。人間に仕事の無い者はいない。艱難辛苦のない人間はいないかも知れない。しかし、嫌々ながらなるべくすむことならばそれをしないで、汗を流さず手を汚さず、骨を折らずに楽がしたい、仕方がなければしよう、という人間が多い。それではいかん。昔から、少しでも人よりもぬけ出でた人は、自分から進んで辛い仕事を好んでしたのだ。

僕とあなたと二人は、この身体と心とがある間は、その境遇によって、人のいやがる様な辛い事を自分で進んでしなければならない。辛い事をする時の心を考えて見よ、これくらい愉快なことはない。辛い事ほど面白くなった者は真に幸である。辛苦艱難に出会う度に僕は何物にもかえられない尊いものを心の中に得るのだ。正宗の名刀は決して楽では出来ない。鋼鉄を火に入れては焼き、出しては打ち、打っては焼き、焼いては打って鍛えあげて、磨きすまされたから出来たのだ。僕らは辛苦に出会う毎にそれに打ち勝てば、その度に鍛えあげられて正宗の名刀になるのだ。

直接自分の利益にならない仕事をするために集った青年をよく見よ。暑ければすぐ木の陰に、寒ければすぐ火の側に集まる者が皆だ。何という不幸な奴等だろう。人に辛い事をさせて見ている様な彼らに一生涯何が出来よう。手を汚すことの嫌な彼らの先は見えすいている、一生涯何も出来ない。涙の出る程あわれな奴等だ。炬燵《こたつ》に入って寒い寒いと言っておれば、便所に行くのも、ここにある本を取るのも大儀《たいぎ》になる。面白いと思えば大雪の中を山にでも登られる。あなたが「辛苦は愉快だ」「大きな辛苦が来い」と自覚すれば、辛苦が来るほど愉快である。そんな精神になれた時、あなたはここに岩をも山をも火をも水をも恐れない力を得るのだ。

世の中の弱い人間は常に「ああ辛い、とてもやりきれない、忙しい、骨がおれる、時間がない、金がない」と愚痴ばかりこぼす。そして辛苦をたくさんためておく。ためておいて泣いているから、次から次と辛苦がわいて来て、何も出来なくなるのだ。僕やあなたはそれではならぬ。「お、、いくらなりと来い。大きな辛苦がいくらなりと来い」と辛苦を次から次と征服して行けば、常に自分の手の中は空《から》だから、どんな辛苦が来ても、喜んでそれに打ち勝てるのだ。だから、流汗鍛練の青年の前途には光明がある。そして幸福がある。汝は辛いの「つ」の字も口に出すな。

辛い仕事に出会ったら、

天ノ将ニ降《くだ》サントスルヤ大任ヲ於是人ニ也　先《まず》苦シメ其心志ヲ　労セシム其肢体ヲ（孟子）

（天の将に是の人に大任を降さんとするや　先ずその心志を苦しめその肢体を労せしむ）

と言う孟子の言葉を思い出して、じっと耐え忍んで辛苦に勝て。言葉の如く、天が是の人に一つ大きな仕事をさせてやろうかと思えば、まずその人に辛苦を授けて、その心を苦しめ、その体を使って見るのだ。もしその試験に敗けたら天は他の人にその大事業を与えるのだ。そして、この天の試験は一度ではない。毎日毎日あるのだ。汝はこの試験にかたねばならぬ。そしてその力は汝の心の中にある。

五、醒めよ醒めよ、醒めずんば前途一生は悪だ、苦だ

楽はしたい。甘いものは食いたい。金は欲しい。辛苦は嫌だ。心が辛い、体が辛い。何とい

うまちがいだろう。そんな人間は死んだ方がいい。生きておれば一生涯「辛い、情けない」と愚痴ばかり言っている様だ。金になりそうなところにひょろひょろ、楽な様なところにひょろひょろ、そんなことでどこに尊い人間らしいところがある。正しく進み、力一ぱい働いて見よ、人間になれる、金が得られる、名誉にもなる。もし、何物も得られなければ、それこそ自分の罪ではない。その時こそ笑って愚痴なしの貧乏にも馬鹿にもなれる。それでも自分の心だけは尊くなっている。これが醒《さ》めたのだ。かくわかったのが真の幸福で、光明団の人の行くべき道だ。

六、怠惰は青年の自殺

僕らが尊いのは青年だからである。何故青年が尊いか。青年は未知数であって努力すれば如何なる大事業でも出来、社会国家を強く美しく楽しきものにする事ができるからである。国家社会は如何なる者をも要求する。そして、その全てのものは、僕らがいなくては如何とも仕方がない。百姓がいなければ生きて行かれぬ。大工、左官、石工がいなければ住むことが出来ぬ。商人がいなければ世の中は病人の様になる。官吏も医者も教育家も僧侶も、その他幾十百の職業があればこそ、完全に社会は動いて行くのだ。そして、それ等の全ては僕ら青年でなくて誰がして行くのだろう。僕らはその内の何かに進まなければならぬ。そうだ！　何かをしなければならぬ。それなら、まず何に進むかを定めなければならぬ。自分の性質や事情によって定めねばならぬ。

そして、それも定まった。いよいよこれからが奮闘だ、努力だ。これからの僕らには、忠実と熱心との外には何物もない。しかもこの忠実と熱心とは、自分のためではなくて、社会と国家のためである。「何、自分のためでなくてやれるかい」。だから駄目だ。その考えこそは僕やあなたを価値のない人間としてしまう。こんな考えでいるからこそ、自分のためにならない時には、手を上げるのさえ大儀《たいぎ》になり、人が見なければ横着をできるだけし、面白いことがあれば自分の務めや仕事もしないで遊び、他人のためになることなら爪の垢ほどしたことがない。

これが即ち青年の怠惰である。怠惰は恐ろしい病気である。しかも容易になおらない病気である。否、これこそは青年を自殺さすべき毒薬である。この毒薬たるや実に甘い蜜の様に、砂糖の様に甘い。味を知ったらやめられない。そして、この甘い毒薬を食うたびに精神も身体も衰えて、ついに何の用にもならなくなる。

僕やあなたがもし怠惰になれば、その前途には光明もなければ意義もない。そして「真の人」ではない。即ち自殺したのだ。おいおい、若い弟よ、今、今から目覚めなければ知らぬ間に死んでおるぞ。世の中には、「とてもどうもならん」としか言えない自殺者が、そこら中にいるではないか。

じっと考えて見ても解る。自分に都合のよさそうな時だけ勝手に少しずつ仕事をし、あれは大儀な、これは嫌、今日は雨降り、今日は寒い、今出るのは暑い、これをするつとめはない、あんなにしても礼も言わん、こんな具合に勝手な理屈をならべていて、働きもせず、勉めもしないでいて、よい果報がむいて来るだろうか。こんな屁理屈を言って歎いている奴こそ、この上もない哀れな動物である。昔から、一寸《ちょっと》でも人より抜き出でた者は皆こんな横着理屈の代わりに、今日は雨が降って人の休む間にこれだけしよう、人が来ない間にこれだけしようと、努め努めた人なのだ。怠惰で事の出来た者は一人もない。

要するに、人は何かしなければならない。するには努力でおし通せ。怠惰は僕らの自殺である。

七、志は天にとどけ手は地をかけ

この言葉は明治初年における大学者福沢諭吉先生の言われた言葉を借りて来たのだ。僕らは常に今よりも高いところに目をつけていなければならない。それが理想だ。決して今の自分にのみ目をつけて、これで好い、と安心してはならない。何時でも天にとどく様な望みがなくてはならぬ。二つ三つよいことをしたので満足してはならない。百円お金がたまったのを自慢してはならない。もっともっと大きなところに理想をおかねばならぬ。人に使われている者も一度は独立して人を使え。理想のない者は進歩発展はない。「貧しい者は幸である」とたびたび僕が言った。何故貧しい者が幸だろう。貧しい者は自己の現在の身の上に満足することが出来ず、「おのれ、一度は身を立て家をおこさずにおこうか」と、何かの機会に発奮し、理想が心の中に燃えていて、それに突進するからである。

一度僕らが何かに刺激されて、志を立て、理想に向かって光明が見えたとき、僕らは進歩にも向上にも出発しているのだ。今日一日今日一日と、大きな苦にも出会わないで暮らしている者は、何時までも心に発奮もおこらねば悲しくもない。その小さい幸が害になって、あたら青年期を何もしないで、面白おかしく、働かずに、一生涯の仕度《したく》もしないで暮らしてしまう。この何にもかえられない青年期、一刻千金よりも尊い青年期を馬鹿話や金使いで費やしている間に、大勇猛心をおこして立った貧しい正しい青年はずんずん進んで行く。三十歳になった、ああ僕も何かしておけばよかったと、過去の夢の様な享楽がさめた時にはもう仕方がない。理想に心がおどる時がなかったからだ。

昔から、精神界にもせよ、物質界にもせよ、平凡な者よりぬけ出でて名をとどめ世を益した者は、皆何かの折に理想が心に燃えたのだ。頼山陽は十三歳の時には天をあおいで、どうして後世に名をのこす人間になろうか、と言って詩を作ったではないか。わが親鸞聖人は御年九歳の時、一念発起、墨染の衣まとう身となられたではないか。二宮金次郎は十三、四歳の頃から手に『大学』一冊をはなした事がなかったではないか。「やろう！」と一度の決心もせず、「人間になろう」と一度目覚めもせず、志《こころざし》も希望も光明もない、何等とりえのない哀れな青年がいはしないか。駄目だぞ、駄目だぞ。

前から言っているように、青年にはその心中に何か理想がなければならぬ、理想があってそれに向かって突進しなければならない。その「理想への突進」には大なる努力と忍耐とがいる。忍耐と努力とによって、一歩一歩築きあげて行かねばならぬ。即ちここに「手は地をかけ」ということがいるのだ。

「僕には大なる理想がある。こんな小さなつまらないことをしている身ではない。こんな馬鹿げたことをする自分ではない」という青年もいる。「五銭や十銭のお金をためたとて、たいしたことはない」と言っている者もある。しかしながら、僕らには大なる理想があればあるほど、小さい事をつとめなければならぬ。いやしくも自分の務めなら、いかなる辛いこと嫌なことにも笑ってかかる人でなければ、成功とか理想とか思わないことである。

豊臣秀吉のことを例に引くのは極端かもしれないが、秀吉は最初は草履《ぞうり》取りであった。織田信長についていて草履取りをしているとき、もう天下第一の草履取りであったのだ。冬の寒い夜など、草履を懐《ふところ》に入れて温かくして待っていて信長にはかせるほど、その心は真面目であった。だからこそ、段々と重く用いられるほど、立派な仕事が出来たのだ。ある朝、信長があまり早いから誰もいまいと思って、「誰かある」とやれば「木下藤吉郎これにあり」と出る。一寸のすきもなく働けばこそ、重くも用いられるし、仕事も出来たのだ。秀吉が関白太政大臣、太閤など、位人臣の栄を極めたのは、草履取りの低い身分の時、最もよく真面目に働ける人であったからである。

「僕は大臣になるんだ」「おれは大将になるんだ」という青年が、書記に使われた時、一兵卒になった時、どうも思うようにならない、つまらない横着な者であるならば、大臣、大将はおろか、書記、兵卒の内でも頭にはつけない。「僕は数万円のお金を貯えなければならぬ」と志を立てながら、「五銭、十銭は」と平気で使う様な心では、とてもとてもお金をためるどころか借金せねばかしこいくらいである。

富士山も砂つぶ一粒ずつから出来ていることを考え、大海も一滴ずつの水の集まりである事に気がついた時、僕らは如何に大きな望みを持てばとて、今自分がしていることが確実に、本気で出来ず、なるだけ時間を惜しんで孜々《しし》として勉めるのでなければ、成功とか成就とか言うことは出来ない。

理想は天にとどくほど高くても、一分一分とそれに向かって努力すれば、現在の自分よりも進んだ者になることは事実である。しかしいくら小さな望みを持っていても、一日一日とそれに一向努めないでいるなら、一万年待ってもその望みに到着することは出来ない。さすれば、その理想は理想でなくて空想である。だから理想が理想となるのも空想となるのも、現在忠実に努力し続けるかどうかによって決まるのである。

若い弟よ、それがもし学生であるなら、一日一日の英語の一単語を確実にひけ。もし汝が百姓であるならば、一本の稲穂でも粗末にするな。あなたがもし大工であるなら、一つの孔でもていねいに彫れ。ノートの一冊すら終わりまで始末よく使えない学生が大人物になれるならおかしい。稲の穂一本だからと平気で粗末にしたり、牛一頭立派に飼えない百姓が、借金が出来なければ結構である。鑿《のみ》の孔一つ立派に彫れないで、立派な棟梁《とうりょう》になれたら鼻が笑います。

わかりましたか。理想は誰もお持ちなさい。理想がなければ、進歩もなければ幸福もない。しかしながら、もし現在の目の前の事をおろそかにするならば、理想は空想に変わって、やはり進歩はありません。

ああ弟よ、人として活き得るならば真面目に人にも使われて見よ。馬鹿げなと思うことでもじっと本気でしてごらん、人になれます。貧しくて賤しくて弱い僕らには、理想が心の中に燃えていて、この手は、この足は、この体は、如何なる辛苦でもすることができる、ああ何という幸福だろう。

三　活動は勢力の中心である

君は男子だろう。それなら、体力精力の続くかぎり他人のために活動したまえ。活動は勢力の中心である。ここに人が五人いる。その五人の内で甲という人が病気になる。五人の内、最も活動を好む君がその甲のために看病したり世話したりしてやったとする。甲は誰よりも一番君を信用するだろう。そして君の言うことなら、他の者が言うことよりもよく聞いてくれるだろう。又、乙が五人より外の者と争いを生じた場合に、君が乙をたすけてやったとする。そして、乙は敵に勝つことが出来たとすれば、乙は君の力に感服するだろう。そして強い者として尊敬を受け、君の言うことは聞いてくれるだろう。即ち君は精力が他人よりも強いために、そこに勢力を得るのだ。かくしてついに丙丁も君の勢力に従って来る。

すべて如何なる社会においても、最も活動する者がその社会の勢力を得る。学生仲間でも活動家に勢力があり、権力が集まる。一村に於ても、自分の考えを一村におき、一村のために活動すれば、必ず一村に於ける勢力の中心となる。一郡の盛衰を念として、一郡のために活動する者は一郡の勢力であり、一県を眼中に於て、一県のために自分を犠牲にして奔走《ほんそう》活動する者は一県に於て勢力をあつめる。

我々は勢力を得んためにのみ活動するのではないけれども、男子の一生は活動である。一分時でも心をゆるめざる活動である。活動は男子の本領である。活動をのぞいては男子の一生は何物もない。故に男子は常に勢力の中心となる。しかも活動を好んで人一倍活動する者は、必ず、富、位を得る者たることが出来る。我らの活動は我らの知識と経験とによって確実と迅速とを得ることが出来、富の力によって活動を大ならしめることが出来る。故に活動を好んで活動し、活動のために活動するものは、即ち勢力の中心となりて、男子としての生を意義あるものたらしめることが出来るし、富と位と経験とを得て一層活動をして有意義のものたらしめることが出来る。

男子よ！　活動せよ。常に働け。寒くても暑くても、全力をつくして活動せよ。もし活動を好んで一時も無為に暮らすことがなく、社会国家の進展を念頭におくならば、その人たる、必ず社会発展の一大中心勢力となり得ることが出来、世の尊敬を受けることが出来よう。活動は、活動それ自身が愉快なるものである。男子の体中に充満している精力を発散することは男子の快心事である。

社会は社会そのものが一大速力をもって常に発展し変化する。我々がもし、その社会にいて、一分時たりとも活動をとどめるなら、すぐ社会から葬られねばならぬ、普通平凡の活動より少しにても大なる活動をするものは、その活動によって社会の中心勢力となり得る。根強く永久に変わりのない活動を一生の間つづけよう。男子の生活は、即ちそれ、男子の生命でなくて何だろう。

四　愛は女子の生命である——愛は人生を美化し浄化する！——

あなたを今日まで大きくして下さったのは誰のおかげでしょう？　父母の慈悲たるや言うまでもありません。あなたのお母さんはただもうあなたが可愛いのです。理屈も何もなく愛したいのです。皆さんが幸福になれば飛びたつほどうれしいのです。あなたが不幸なときには自分の不幸よりもまだ悲しいのです。真の愛であります。「絶対の愛」であります。絶対の愛とは自分には都合がよくても悪くても、どんな時でも、仇敵《かたき》となっても変わらない愛のことです。あなたの親の愛は即ちそれであります。

われわれがもっている愛はそれとはちがって、自分に利益になったり、便利の好い時だけの愛であります、人が親切にしてくれるときだけ愛するのです、一度自分が嫌になれば、すぐ、愛するかわりにかたきになる愛です。この愛は「相対の愛」であります。相対の愛には力はありません。絶対の愛の力です。

愛に覚めるとは、絶対の愛の力を知って、絶対の愛の持ち主になることです。我等はまず親を愛せなければなりません。兄弟姉妹を愛せなければなりません。世のすべての人を愛せなければなりません。私等の恩人を愛せなければなりません。友を愛すると共に、敵をも愛せなければなりません。

愛の力！ どんなに大きなものでしょう。釈迦の愛の力は世界中に三千年後の今日まで流れています。到る所にそびえている寺。あれは一切の衆生を救いたいやるせない釈迦の愛の血の流れでなくて何でしょう。キリストも愛のためには十字架の上で磔《はりつけ》になっても何でもなかったのです。彼の愛の力は磔になった後までも人を救うことに使われたのです。

実に愛の力は、悪い人の心をも善に立ちかわらせ、不幸に泣く人をも幸福にみちびきます。ナイチンゲール嬢の偉大な愛は露土《ろと》戦争に兵士の看護の思い立ちとなり、それが今日の赤十字社のもととなりました。世界中の敵も味方も平等に救う赤十字社には、ナイチンゲール嬢の尊い愛の力が伝わっています。

あなたよ、あなたの心の奥にはこの尊い愛の泉がこんこんと音を立ててきれいに流れているのです。一度口を開いたらいくらでも流れて来ます。そのままを、世の人にはもちろん、動物や草木にまで飲ましてやるのです。愛の水を飲んだ時だけ人間は「ああ有難い」と心から感謝します。ああ、あなたはなぜこの尊い泉にふたをしています。あなたが何物よりも尊く、誰よりも幸福になることができるのは、愛の力の表れた時です。私は力いっぱい教え子に愛の注がれた時、最も幸福であります。

わかりましたか。愛の尊さがわかりましたか。愛の泉があなたの心の奥にこんこんと音を立てているのが聞こえましたか。皆さんの愛の泉の水がきれいにきれいに澄んで、それを哀れな者に飲ませた時、皆さんの心はうれしくてうれしくてならなくなります。愛の泉は流れても流れてもつきることはありません。

「女は弱い、母は強い」という諺《ことわざ》がありますが、なぜ母が強いのでしょう。平素は弱いと見える女子でも、自分の子供が危うい時や不幸な時には、おどろく様な強い女となるものです。あなたは高等科の読本で「母の愛」という題で、自分の子が獅子の餌食《えじき》になろうとしたのを救けた婦人のことを読んだでしょう。母は自分の子供のためなら大変な力をあらわすのです。その力は何から出るのでしょう。前号で言った様な「絶対の愛」の発見です。何故あなたの力のある愛の心が曇って力も光をも失うのでしょう。

由来、女子の心は感情的で、正しく働けば勇気と変わって力となりますが、一度悪く進むと、邪見《じゃけん》、慳貪《けんどん》、傲慢《ごうまん》などの心が燃えたり、疑惧《ぎく》、嫉妬の黒雲となったりして、人を困らせ、人生を醜くし、かえって人生を汚くします。あなたも時々見るでしょう。ここらの家で婦人が青筋うかせて怒って泣いて、夫や子供をてこずらしているのを。又、二三人の婦人が集まるとすぐ、立派な話ではなくて、人の悪口や自慢や愚痴ばかり多くあります。そんな人達は、自分の都合の好い時だけ人を愛して、自分の心の激した時は、兄弟であろうと、夫であろうと、主人であろうと、自分の子供であろうと、友人であろうと、すぐの間に敵としてしまいます。こんな女子は夫に対しては小さなことから嫉妬心をおこして夫の愛を失い、いらない人の悪口のために夫に迷惑をかけ、夫婦間を冷たいものにし、自分の兄弟の間は喧嘩づくめにし、子供を叱るかわりに怒って子供の心をねじけさせ、友達との間も面白くなくて、二、三日すれば友達がかわる。

かくしてこんな女は、人生を美しくきれいで尊いものにするかわりに、この世をこの女子があるために、不愉快な汚いもの、即ちこの世を地獄にかえて行きます。話も聞いたでしょう。年老いた女が愛の尊さを知らないばかりに、その嫁を殺し、その孫を二人も殺し、ひいてはその同情者たる若い女子を殺したでしょう。死んだ人たちの周囲にはどんな悲惨な事柄がおこったでしょう。

あゝ！　世の中を地獄と変える者は男子ではなくて、年老いた女子に多いと知るとき、あなたは何と考えます。鬼となる女、それはその人にとって大変な不幸です。こんな不幸な人はありません。愛を知らないからです。あなたの生命である愛の力を知りなさい。自分に親切にしてくれない者を愛しなさい。「人が悪い、親が悪い、夫が悪い、子どもが悪い」、と言っているのは、目がさめたのではありません。よくしてくれる者を愛することは誰でもします。悪い人を愛してごらん。そして「ああ、わしが悪かった」と、その人が懺悔《さんげ》するまで力強く愛してごらん。こうして一人を救った時、あなたは心からの幸に泣くでしょう。その時のあなたはこの上なく尊く美しく幸せな方であります。

世の中で一番哀れな者は、人を愛することが出来ないで、「親が悪い、子供が不孝だ、夫が無情である、姑《しゅうと》が邪見だ、友達に信がない」と言う者である。自分のまわりの者が悪ければこそ、私たちは心から愛さなければならないのです。ほんとの親が死んで他人を親としなければならなくなった人は、その継母《けいぼ》がもし悪い人であっても決して継母だからと思わないで、如何に辛くあたられても、その心が正しくなるまで母に真実の愛をささげて見なさい。何時かはきっと「あゝ！　私が悪かった」と真実の愛が届いて目の覚める時がある。如何に無情な夫でも、あなたが強く長く真実の愛をささげたら、きっと心からあなたの愛を知って夫は救われ、幸福な生活に入ることができる。

世の中の多くの女子は、夫が悪いと見たら、青筋うかべて怒る、泣く、わめく、おどす。その力で夫の心をなおそうとしたり、腹いせをする。それでは夫の心を益々鬼にする。姉は姉で「妹が悪い」、妹は妹で「姉が悪い」と言っているのは、姉妹共に悪いのです。あなたが悪い妹をもてば「妹は可愛そうに、あんなに悪かったら一生人に面倒がられよう。今の間に直してやろう」と、がみがみ怒るかわりに涙をもって救いなさい。妹があなたに悪くするのは、あなたもやはり悪いからです。

あなたを生んでくれ、育ててくれ、教育してくれた親をさえ愛し得ないようでは、もうとても人にはなれない。親は子に向かっては絶対の愛をそそぐのに、子はその絶対真実の愛に、鬼の心で向かうとは何ということだろう。乳飲み児の時、一日ほうっておかれたらあなたは死んでいなければならない。一人前の人間になるまで何度親を泣かせたか知れない。ああ、この天にも地にもただ二人の親を愛し得ない者が、どうして世が正しく渡って行けよう。人になれよう。寝ても起きても別れても、親を思い、親を拝み、親を愛せよ。愛に目覚め、人になる第一には親を愛せよ。

かくの如くあなたが、夫を、姉妹を、親を、真実に愛すれば、あなたは家庭を極楽にする尊い身になったのである。その時のあなたは愛をもって家庭を救うの仏となり、悪をはらうの神となったのである。その幸福は何物にも及ばない。

税所敦子《さいしょあつこ》は京都で生まれて、柔らかく、風にもあたらず、辛いこと一つしないで大きくなって、薩摩の藩士のもとに嫁入った。薩摩は人の心の荒いところで、とりわけその姑はなさけのない人であった。敦子が嫁に行くと、その姑は「おまえは京都生まれで、はでで困る」「食物が贅沢すぎる」「そんな着物をきないでこれを着よ」「なで掃きをしたことがないようではいかん、下女と一緒に雑巾を使え」「肩をさすれ、足をもめ」と、したこともない様なことや無理なことを言いつけられても、「ありがとう御座います」の一点ばりで真実の親につかえる様な愛をささげた。初め敦子に辛くあたった姑も、ついには敦子の愛に泣いて「わしが悪かった」とあやまって、後には自分の子のように可愛がった。薩摩藩主島津公のところに出て仕えることになった時、「嫁を取られるのは片手をもぎとられるよりも辛い」と言って泣いた。

これだ、これだ、一家を極楽の楽しみにするのはあなたの愛の力を外にしてはない。だからまず愛の力で家内《やうち》を救え。

五　継続する事の力

成るか！　成らぬか！　の岐路はどこか。

英雄、豪傑、学者、大芸術家、何かに優れている人でも、とても初めから優れていたのではない。我らの様な凡人とそれ等のものとどこがちがっていようか。どんな人間にでも同様にあることは発奮であろう。人に馬鹿にされたり、読書して感心したり、色々な機会に出会ったりして、「よし、やってやろう」と強い決心をすることが度々《たびたび》ある。「奮起する機会」に出会うことは普通の人間なら無い人はあるまい。ナポレオンが「他日欧州の天地を震い動かす者はコルシカ島民だろう」という預言を読んで発奮したということは、誰でも知っていることである。本県が過去に於て出した最も世に知られた頼山陽先生はもう十三歳の時、

十有三春秋　逝者已如水　　十有三春秋、逝《ゆ》く者はすでに水の如し。
天地無始終　人生有生死　　天地始終なく、人生生死あり。
安得類古人　千載列青史　　安《いず》くんぞ古人に類し、千載青史《せいし》に列するを得ん。

という詩を作って、どうして歴史に残る様な人になろうと言っている。こんな人の発奮はもちろん凡人のそれとは違っているけれども、凡人には凡人の理想もある。発奮する機会にも出会う。特に我々青年には感激が多い。理想の世界がある。自分を信ずる力がある。それらのものはあらゆる機会に燃えないではおかない。英雄もそうであったろう。大宗教家もそうであったろう。そして、自分等もそれである。凡ての青年がそれなら何故自分をもっと大きなものに育てることが出来ないのだろうか。出来上げられない者には継続が出来ないからであろう。永続《ながつづ》きがしないからであろう。

何にでも優れている人は、目的が出来たら成功するまで続けて行く。五年も十年も一生涯でも続けて行く。それが出来上がるか出来上がらないかの岐路《きろ》である。凡人はいわゆる「感心上

手の行い下手」である。新年がきた時には、本年こそはとかなり強い決心は持つが、すぐ何時の間にやら去年と同じ様な事をやっている。

学校に行っている時でも、今日から本年中、毎日英語の言葉を十ずつ覚えようと決心する。ところが最初こそは一日に二十ずつでも平気で覚える、一週間もたてば二十は十に減る、一か月もたてばだんだん減って、もうそんなことは止めてしまっている。初めの計算はよかったのだ。一年に三千六百の言葉を知るはずである。それだのに本年の暮れにはそのために知った言葉はないことになる。今少なく取って、一日一語でもこれを確実に永続するならば、一年には三百六十字知っているはずである。「二十字」と決心して続かないよりは、「一文字ずつ」と決心して永続する方がよい。

天性賢くて、大事業をし、人生に貢献することの大なるものは、その発奮して決心することも大きいし、永い間、継続することもできる。ニュートンが天体の観測をして「二物質間の引力は、双方の質量の相乗積に正比例し、その間の距離の二乗に逆比例する」という万有引力の法則を得る迄には十数年かかったということである。徳川時代の国学者で有名な本居宣長先生は、『古事記伝』を著すのに三十五年かかっている。今日のこの文明は皆過去に於けるこれら偉人が一生涯自分の目的に向かって努力を継続した賜《たまもの》である。『古事記』を研究するものは『古事記伝』によらなければならぬ。物理学一頁に「万有引力の法則」と出すには、ニュートン十数年の研究努力がいったのである。

偉人傑士には必ず継続がある。全てを超越して自己の成さんとする事業に対して突進するには、死をも恐れない真面目がある。我々は学者ではないかも知れん。金持ちではないかも知れん。大研究は出来ないかもしれない。大事業が出来ないかもしれない。学問が生命ではない。金があれば万能でもない。大事業、大研究、必ずしも感心したり羨《うらや》むには足りない。我々はただ何も考えないで生命を捧げたらよい。

我々の中には、二人三人の子供の親として、親族訪問さえも出来かねる程仕事に追われている母もいるだろう。米を作る人もあろう。工場の人も、家を造る人も、兵士も、全て為さねばならぬ何事かを持たない者はあるまい。我々は我らの為さねばならぬことが如何なることであるかを嘆く前に、小さな自分を棄ててしまわなければならぬ。たとえ、自分の一人子を育てあげることでもいい。一生涯風呂たきでもいい。自分の愛によって生命をつちかう仕事でもいい。何でもいい、もっと全てを棄てた、その上に自分を見出して、その事のために生命を捧げねばならぬ。

いくら我々が凡人でも、英雄偉人にまけないでできることは、自分を棄てることである。智慧も才質もとても追い付けなくてもできることは、自分を棄てることである。自分の精神生命を捧げた者は、即ち小さい自分を棄てて大きな自分を見出したのである。凡人の強みはここにある。自分の弱きを知って強くなれたのである。何物よりも強い、恐ろしい者は、自分を棄てた者、生命を捧げた者である。我々の生くべき最初はここである。我々が生命を捧げたならば、そして楽しむならば、それは即ち道念に生きる信仰の生活であり、力の生活であり、感謝の生活である。僕が言うところの継続する事の力とはそれである。

僕らはいやいやながら、つまらないあきらめに暮らして、自分の底からの力を捨てて生きようというのではない。自分が育つべく見出した場所で、自分を捨て、自分を捧げて、継続するの力を得たい。

六　心の感応

あなたが『光明』を読んで、「うれしい！」と思ってニコッと笑顔になる。あなたがたびたびしていた悪いことをするなと書いてあると、「ああ、しまった」と思って悪い顔をする。その他、泣く人があろう、怒る人があろう。しかし、あなたが見ているものは紙の上に写った字だけでしょう。なぜ字を見て、うれしかったり、悲しかったりするのでしょう。それは、その字を通して、僕とあなたとの間に感応の作用があるからです。だから僕が「うれしい」と思って書き、「救いたい」と思って書くなら、あなたにきっとその心が届くのである。

人間は皆どこかで他の人と一緒に集まって暮らさなければならないものである。もしあなたの心の中に人を愛せん、人を慰めんと燃ゆる心があるならば、あなたはその燃ゆる心の力によって、あなたが行く社会を極楽と変えることができる。あなたはまずその冷たい心を目覚めることによって救え、救われよ。そして常に熱愛を以て人に接して見よ。その家庭は楽園になろう。その社会は極楽になろう。あなたに接する人は皆その熱愛の感応によって、清く温かく尊くしあわせな者になるだろう。情のない者はこの世を冷たく変える鬼である。

心の奥を人が知るまいと思うな。僕らは、静かな水の上に砂つぶを落とした時、丸い波がだんだんと伝わって行く様に、この人生に温かい清い情の一滴を落とすか、冷たい邪見の一滴を落とすかによって、鬼ともなれば仏ともなる。仏となれ、鬼となるな。

思ったり、言ったり、したりした事が、その場かぎりで消えると思うな。人を憎む心も、愛する心も、その心は感応によってきっと他の人に知られてくる。だからこそ口先ばかりお上手ばかりを並べて、それで人の心が動かせると思うな。お上手は口先で人を釣ろうとする虚偽である。人に嫌な感じを与える外、何物もない。

あなたが言った一言は、聞く人の脳の中の蛋白質に変化を与える。その変化は一時にその人から取り去られるものではない。以後その人の一生涯の間、どこかで出て来るのである。一度聞いたり見たりしたことは忘れたようでも、それは心の奥にひそんでいるので、いつかは知らず知らずの間に出てくるのである。我らの知識というのは、生まれてから今日まで、見たり聞いたりしたものがたまったものを言ったのだ。だから、もしあなたが悪いことを考え、悪いことを言い、悪いことをするならば、たくさんの人に伝わって悪い影響を与えるのだ。即ちあなたがいる近方《きんぽう》は皆腐った汚い社会とならなければならぬ。

私だけが悪いのだ、人に迷惑はかけないと思うな。もしあなたが救われて、正しく、尊くなって生きるなら、あなたには目に見えない光明が身から出て来て、その光こそは四方八方に輝き、一口ものを言わなくても、その力によってあなたがいる地方は清く尊いものに変えられるだろう。僕らはまず人になって幸福にならねばならぬ。そして、あなたから出る光によって、世を救い、清めねばならぬ。悪に引きずられている哀れな者よ、さめよ！

七　光明が見えますか

あなたの前途には光明が見えますか。今から先を思いわずらってはいませんか。あなたのしている仕事を一生続けて行くだけの決心が出来ていますか。「これをやりたくない、どうかしなければならん、これをしていても駄目だ」と思いながら引きずられてはいませんか。「いやだ、駄目だ」と思ってしている仕事には快楽もなければ慰安《なぐさめ》もありません。したがって本気で努力も出来ません。光明のない生活です、そんな不愉快な無駄な生活を今日かぎりおやめなさい。これこそ自分の一生涯の心血をそそぐべき仕事であるという、自覚のともなった事業を見出しなさい。そして、それに精いっぱいの努力をするのです。

農業に従う人でも、何故もっと研究的な態度で作物を作らないのでしょう。田を増やすことを考えないのだろう。農業で立つならその地方の模範的、先覚的な百姓になって農業の改良と自分の経済の向上を計らなければなりません。五反百姓は一町百姓になることに、一町百姓は二町百姓になることが出来る様に努力して行きなさい。

正しい道に、自ら立てた目的に突進することが光明のある生活です。前途の光明を曇らすものは、とかく青年の陥りやすい安価な卑しい娯楽を知って、その娯楽のために自分がその虜《とりこ》となってしまうことです。人は一度、安価な享楽に心身を没入すれば、本業には不忠実に、怠惰になってしまいます。毎日毎日嫌々ながら仕事をすませて、その不平、その苦悩をわずかに卑しい安価な享楽によって慰めるくらい無自覚な駄目な生活はない。為すべきことを自覚して、楽しんですれば、その為すこと自身が慰安である。

人生における全ての娯楽を否定するほど野暮な無趣味な人生観をもてとは言わないけれども、

娯楽や趣味が人生ではない。やはり人生は奮闘でなければならぬ。努力の継続でなければならぬ。趣味や娯楽は沢《つや》である、香りである。人生そのものではない。つやや香りがよくても、その物の本質が愚劣であったら、その物の価値を認めることは出来ない。その物自身が高尚で、しかも、色とつやと香りのある時、初めてそこに意義を見出すことが出来る。

貴重な秋の夜を、たくさん集った青年らが、卑しい談話や益にもならない世間の出来事を語りあったりすることに興《おもしろ》がっているなどに、何で人生、意義のある趣味などがわかろう。無自覚と下劣な趣味、これは人生における人間相の表と裏である。

もう議論や理屈の時代は通り越しています。百の議論より一つの実行が尊い。あなたの心は光明を放っていますか。あなたの生命は善い事をしたいと願い、あなたの手は心の命令通り働きますか。なさい、なさい、よい事をなさい。黙ったままで実行の楽しい道に突入しましょう。

光明団に入っているあなたの行いがどれくらい他の人よりちがいますか。光明日誌はどのくらいあなたのしたよい事をもって飾られていますか。議論は実行のための議論です。我が言う人生観は、如何に我が行為の意義があるかのためであり、如何に千万言の激しい議論も、何も実行が伴わなければ何の価値もありません。実行なさい。日に一つでも、善い事のために働きなさい。

八　我は如何なるものぞ

『我』不可思議なる『我』

私たちは何も考えずにぼんやりしていますが、一度自分という者について深く考えて見なくてはなりません。我は人である。我は身体と精神から出来た人である。人である。不思議はないといえばそれまでです。我々は、もう一歩踏み出して「我」を考えなくてはなりません。我々は親の体を借りてこの世界に生まれて来ました。過去の自分は何であったか、それも知らず、何の為に生まれたかはもちろん知らずに、ただ何もわからずにこの世に生まれて来ていたのです。我々は一年とも知らず、五十年とも知らず、何時かわからないけれども、又再び露の如く、風の如く、死なければならぬ。そして、その先は如何になり行くものか、わかりもしなければ、あてもない。

我はついに目的も知らず、わけも解らずに、生まれて、死なければならぬ。そもそも誰の意志によって生き、何の目的のために死ぬるのだろう。

しかも一個の我は永遠の我である。田を耕す人、道を行く人、山の中にも、町の中にも、人は数知れず存在しているけれども、顔も心も我と同じ者はない。世界何億人の中で、我以外に我はなく、我は宇宙の間にただ一個、厳然として立っている。親は親である。兄弟は兄弟である。親も兄弟も我ではない。我はついに我である。ああ、この雑多複雑、広大無辺の宇宙の中に、かくもはっきり鮮かに「我」という者が一個の人としてあるということは、何たる不可思議なことだろう。生命の神秘、不思議を思わずにいられようか。

清い月が青白く世界を照らす時、世の中の全ての事象に遠ざかり、真面目に、静かに、自分一人「我」について考えて見ましょう。「自分は」、「自分の生命は」と考えた時、世界にただ一つしかない自分が不可思議に思われない者がいましょうか。きっとあなたは「不思議なる自分よ！」と嘆声《ためいき》が出るでしょう。

空気は酸素と窒素などから出来ており、水は酸素と水素から出来ている。我々の体は、これを分解すれば炭素、水素、酸素、窒素、その他すべてで十四ばかりの元素から出来ている。十四の元素は固まって我が体を造っている。魂が一度去って五尺の体が氷の如く冷たくなれば、バクテリヤによって十四の元素に分解してしまう。火にたいても熱によって十四の元素にわかれてしまう。分解した十四の元素は目には見えなくても、元素として宇宙にかえり、髪一本も皮一枚もなくなるのではありません。五尺の体一個を元素に分解すれば、その容積は一室や二室には入らないくらい大きなものになります。宇宙より十四の元素をかりて我が肉体を形造って、それに我という生命を宿している。同じ十四の元素によりて出来ている体でありながら、我はついに我であって、我と同じき人は一人もない。ああ不思議、何たる不可思議だろう。

世界の初めより、人は、生まれて死に、生まれて死に、その数はどれほどだろう。しかもその人達は全て異なった「人」として生まれ、一個の我として生きたことであろう。しかも我は今の世の我として、この世にただ一個、我として生きている。これより以後も何億年となく、人が我より違った人として、数知れず生まれ出ずることだろう。前にもある後にもある数の知れないたくさんの生命の中に、やはり我は一個の生命として、一人の我として生きている。ああ、何たる我は不可思議の存在だろう。

おお小さき我よ

自分たちは我が小さき眼をもって、この大自然、大宇宙を見なければなりません。宇宙と普通申しますが、「宇」とは時間のことであります。時間ということは果てしがありません。これより前にも時間の始めはありません。五年前、百年前、千年万年一億年前と、いくら遡《さかのぼ》っても「今が始め」という時はない。即ち無始、始めなし、であります。そして又将来に於ても明日もあれば百年先も万年先も、やはり時間に終わりはありません。始めもなければ終わりもない、その時間を「宇」と言います。この初めと終わりのない永劫の間、我が生命はわずか五十年、何と短い間でしょう。宇宙の永劫に較べれば五十年は瞬《まばた》き一つする間です。「ああ、はかなき短き我が生命よ」と悲しくはありませんか。

「宙」というのは広さのことです。この世界には広さに果てがありません。我々の住んでいる地球は、その周りが一万里余、かなり大きい様ですが、この地球を去ること三千八百万里の遠きにある太陽は、その表面の広さが地球の一万二千倍あります。一秒間に七万六千里を馳《は》せる光すら、太陽より出でて地球に達するには八分十八秒かかります。これを一時間十四里走る汽車に乗って行くとすれば三百年かかります。太陽からかくも遠いものであります。

空の晴れた星の夜天を仰いで見渡せば、我々の目でさえ七千の星を見ることが出来ます。もし最もすぐれた望遠鏡によれば一億五千万の星を見ることができるそうです。しかも、あの多くの星の中には太陽どころか、大変大きなものがあるそうです。一秒間七万六千里走る光線すら、一万年を費やして、我が地球に届くほど遠い星もあるのです。

大きいと見る地球も宇宙の大きさに比べては、粟粒《あわつぶ》一つにもあたりません。遠いと見た太陽すら宇宙の無限に較べては隣の人よりまだ近いのであります。東に向かって空を走っても、西に向かって走っても宇宙に果てはありません。ああ、この限りなき大宇宙の中、粟粒大の地球の上に住み、日夜営々として生きんがために、これつとむる我の小さきことよ。その身はわずか六尺に足らず、その目は一里の近きを見る能わず。ああ、それ、何ぞ我の小さなる。

死

「我は不可思議なるものだ」「我は小さき者だ」と申しました。しかし、私は死について書かなければなりません。死ぬるということは誰も考えたくない問題であります。言いたくない事であります。けれども私たちは生まれ出たという原因があるからには、死ぬるという結果に遭《あ》わなければなりません。生きることを享楽する者は皆であります。美しい家の中で山海の珍味を並べ、盃につがれた酒の味に人生の快楽に酔う人もあります。何千万の財産を持って、出ずるに自動車、入れば美衣美食、世の物的生活に何不足のない人もあります。ああ、しかし、死の運命は如何なる富者も貴者も一味もれなく、人生から取り去らずにはおきません。

僕らの友人で、鉄骨と自分で言っていた強い男も、弱い僕より先に死にました。死んではならん叔父も死にました。かくして、全ての生きとし生ける者は皆、今からすぐでも死ななければなりません。死から見た我は朝の露よりもはかないものであります。

一人の旅人がありました。広い草原を歩いていますと、にわかに後から怒り狂った虎が旅人目がけて走って来ました。旅人は虎の餌《えさ》となることを恐れて、そこにあった空井戸の中に入りました。やれ安心と思う間も無く、その井戸の底には大きな蛇が口をはり、目を光らせているのを見ました。旅人は上に出ることも出来ません。それとて下におりることも出来ません。井戸の内側から出ている一本の木につかまっていました。彼はもう如何ともすることは出来ません。ただ一本の木が命の杖であります。しかし、そこへ、白と黒の二匹の鼠がその木の上に来ているのを見ます。そして、白と黒とかわるがわるその木を噛っています。何と危ういことでしょう。今にも旅人は落ちなければなりません。旅人は落ちなければならぬことを知っています。それでも木につかまって一時をすごしています。そして、その木の葉の上についている蜜を舌をのばしてなめています……。

これは『仏説譬喩経《ひゆきょう》』に出ているお譬《たと》えであります。死より見たる我が生命はかくの如くはかなきものであります。我が身の上に死の魔の手が伸びて来ることは、三十年先でしょうか、十年先でしょうか。来年でしょうか、来月でしょうか。明日でしょうか、一時間先でしょうか。私の生命に対しては何時来るとも言うことも出来ません。

『四十二章経』に曰く、

仏、沙門に問ふ「人、命幾時にか在る」対へて曰く「数日の間なり」

仏、曰く「子《なんじ》未だ道を知らず」

一沙門に問ふ「人、命幾時にか在る」対へて曰く「飯食ふ間なり」

仏、曰く「子《なんじ》未だ道を知らず」

一沙門に問ふ「人命幾時にか在る」対へて曰く「呼吸の間なり」

仏、曰く「善哉《よいかな》、子、道を知る」

釈迦が一人の僧に「人の命は幾時《どのくらい》の間あるか」と問いますと、「数日の間」と言いました。聞いた釈迦は「なんじはまだ道を知らない」と言いました。他の一人は「飯を食う間くらいのものです」と言いました。釈迦は「なんじはまだ道を知らない」と言います。第三の沙門は、「ただ一呼吸の間です」と。釈迦は「ああ、そうだ、そうだ、なんじは道を知っている」と申しました。

吹き出した息は再びかえっては来ません。そして又その次が出て来なかったら、即ち死であります。私たちは「死生、命あり、論ずるに足らず」とか、「死を見ること帰するが如し」とか言いますけれども、私は死にたくありません。死は恐ろしゅうあります。どうしても生きなければなりません。誰が何と言っても生きなければなりません、それが人間です。

よく見るではありませんか。病のために身の自由はきかない、そしてもう五十、六十と歳をとった老人が、身には見るかげもないぼろをつけ、路傍に坐って道ゆく人の情にすがっているではありませんか。かくしてまでも生きなければなりません。多くの人はただ生きんがために努めている。人である以上、「生の執着」のないものはありません。

私は『歎異抄』を常に読んでいます。第九節に親鸞とその弟子唯円房との問答があります。

「『念仏まをし候へども踊躍歓喜《ゆやくかんぎ》の心疎《おろそか》に候ふこと又いそぎ浄土へ参りたき心の候はぬは如何にと候ふべきことにて候ふやらん』と申しいれて候ひしかば　『親鸞もこの不審ありつるに唯円房おなじ心にてありけり　よくよく案じみれば天に踊り地に躍るほどに喜ぶべきことを喜ばぬにていよいよ『往生は一定《いちじょう》』と思ひたまふべきなり　よろこぶべき心を抑《おさ》へてよろこばせざるは煩悩の所為なり　しかるに仏かねて知ろしめして『煩悩具足の凡夫』と仰せられたることなれば『他力の悲願は此《かく》の如きのわれらがためなりけり』と知られていよいよ頼《たの》もしくおぼゆるなり　また浄土へいそぎ参りたき心の無くて、いささか所労のこともあれば『死なんずるやらん』と心細くおぼゆることも煩悩の所為なり　久遠劫《くおんごう》より今まで流転せる苦悩の旧里《くり》は棄て難く未だ生れざる安養の浄土は恋しからず候ふこと、まことによくよく煩悩の興盛《こうじょう》に候ふにこそ　名残惜しく思へども娑婆の縁尽きて力なくして終るときに彼の土へは参るべきなり。いそぎ参りたき心なき者をことに憫《あわれ》みたまふなり」

（島地二三一―四、西八三六、東六二九）

没我的絶対他力を説き、永世に聖寂に帰した親鸞すら、「生の執着」「死の寂寞」を言っているではありませんか。我、唯一人、死の岸頭に立ったとき、そこに寂《さび》しみ恐れ以外に何がありましょう。如何に世は文明になり、この世が悦楽の都と変わっても、煌々《こうこう》と電燈の照る、自動車の走る町の裏には、青白く月の照る墳墓《はかば》に、冷たき石としめやかな香の煙の立っていることを忘れてはなりません。

私たちは死を考えなくてもいいでしょうか。現実の享楽に酔うて、いたずらに年老いてよいでしょうか。花は美しい、しかし散らなければなりません。花のみを見て楽しまんとする人は、花の色のあせはてて木枯らしの吹く時、如何にして生きんとするのでしょうか。私たちは永遠に若くはありません。綺羅《きら》を飾り、紅白粉《おしろい》の装いも、やがて昔の夢であったと、年ふけた時、花が人生と思った人に何の寂しさも物足りなさもないでしょうか。私たちは死を考えなければなりません。そして死の考えに徹底した時、人生の真の生活に入り、真の人生に憧《あこが》れねばなりません。

『樗牛全集』巻ノ四の初めに、「死と永生」と書いてあります。

「死は生きとし生けるものの免《のが》るべからざる運命なり。それ唯免るべからざる運命なり。故に又避《さ》くべからざる問題なり。されど生を惜しむ人はあれども死を惜しむ人は少なく、生について慮《おもんぱか》る人はあれども死に就いて考ふる人は稀なり。いぶかしからずや。如何にして生くべきか、是人生の大なる疑問なり。然れども如何にして死すべきかは更に大いなる疑問にはあらざるべきか。吾等は歴史をよみて、大いなる宗教の起るを見たり。されど宗教とは、生きんがための教にあらずして、死せんがための悟なり。釈迦は人生の四苦に感じて解脱の途を説きぬ。耶蘇は同胞の宿罪《つみ》を贖《つぐな》ふて永生の道を開きぬ。解脱や永生や、死を外にして何の意義がある。最も賢き人の説ける哲学の旨趣も亦是に外ならざるなり。(中略)あわれ、その生を見て、その死を見ざるものは、人生の根本を忘れたり。死はすべての物の終りにして、又すべての物の初めなればなり。されば人々の死を考えよ。死を考ふるは即ち人世の目的を考ふるなり。如何にして生くべきかの問題は、即ち如何にして死すべきかの問題なり。死を考ふるは死滅を考ふるにあらずして、永生を考ふるなり。死は人生の究竟なるが故に、永世は人生の目的なり。(後略)」

死を考え、死を惜しむことは永生を考えることであります。現実を人として生きる我々には、我々の身体をはなれて生命も何もありません。死は「人」としての我の破壊であり、滅亡でありますけれども、人間としての我々の死は、永生(未来永劫死なないこと)に生きる、その誕生でなければなりません。生をはなれて道徳も学問も無い様に、死をはなれて自覚も道徳も宗教もありません。生きるということの後には必ず死という問題がありとすれば、生きんとつとむることは、やがて死せんがための努力でなくてはなりません。

死について考えるとは、いたずらに死を悲しむことではありません。死について自覚することです。救われることであります。永遠に生きんがために死を超越することです。私たちは生きんとつとめます、そして、その生活は死を考えることによって、その意義と価値を得なければなりません。如何にうれしい時にも、華やかな時にも、死を考えたい。死ということを知ってこそ、真に我々は、現実を忠実に、自分の心に真面目に、生きなくてはならぬ自覚と努力とが得られるのではありますまいか。

第二章　生きんとする努力

たった一人
そまつな宿直室の六畳の間に坐っている
実に静かだ
押し入れの前には寄せ集めの戸が三枚立っている
雨じやれになった戸や貼ってあったらしい新聞紙のはげあとや
戸の大きさのあっていないこと
押し入れの上には白い幕がかかっていることや
何ひとつ美事なものもない殺風景な部屋である
だがしかしこの上もない哀れな部屋がこの上もなく好きだ
僕の生活の意義も祈りも敬虔も寂寞も幸福も
この静かな哀れな一室から湧いて来る
障子戸を開けて、窓によって
南から吹いて来るそよ風を受けて
広く開けた田の面に目をなげる
寒さにやけた杉垣も一面に見える一二寸にのびた麦も
すぐ前の田の名も知らない雑草やレンゲも
みな一様に暖かい春の陽を浴びている
そしてそれを見入っている私にも

一　生きんとする努力

私は宗教信者たちに言いたい。お寺に参る人たちはあまりに結論に急ぎつつある、予備なしに結果を得ようとしている。多くの人たちは、ただ何も考えないで、ただぼんやりしていて、そして何か得ようとしているのではあるまいか。

釈迦がルンビニー園で母君マヤ夫人の散歩中生まれ出でて、呱々《ここ》の声をあげられた。「天上天下唯我独尊」、実にこの一語であった。ある人は「一人生まれて一人死ぬる！」という意だと言った。ある人は「我こそは人間だ」との叫びだと言った。実にこの一語は「我は人なり」の叫びである。この一語、それは釈尊の「オギャー」の声であり、同時に私の「オギャー」の声でなくてはならぬ。懐かしい、そして厳粛な、人生肯定のこの一語、私たちの生きんとする努力はここから始まらなくてはならぬ。

「私は人間だ。生きねばならぬ」

私たちの苦悩煩悶はここから出て来る。真実に私にとって与えられたものは私だけだ。私たちは誰を頼りにしようもない。私は私だ。

「私はたった一人生まれた。そしてたった一人生きねばならぬ人間だ」

「私は私を頼らなければならぬ。私は私を救わなければならぬ。私は私として生きねばならぬ」

そうだ。私たちは私を救うために他の人間の智慧や理屈を借ることは出来ない。私は私で自覚しなければならない。

釈尊には四季別々の宮殿があった。王の位もあった。美しい妃もあった。御子もあった。お妾もあった。美衣美食、何でもあった。けれども釈迦にとっては、そんなものは「真に生きねばならぬ」という大事実の前には、何の足しにもならなかったのだ。「明日でも来るか知れない死、今来るか知れない死の闇黒《やみ》、それとにらみあいをして、しかも生きねばならぬ。矛盾ではないか。生きねばならぬ。けれども今にでも死の闇黒が来たらどうする」。じっとしてはいられない。

釈尊は全てを棄てた。全てを棄てて生きようとしたのだ。その時の釈尊に与えられたものは、バラモン教の難行苦行によって得られたものは、体の衰弱それのみであった。弱りきった体を尼連禅河《にれんぜんが》の清き流れで洗い、恵まれた牛乳を飲んで体力をつけられた。人間たちはこれを見て「悉達《シッタ》は堕落した」と言って攻撃をした。釈迦には、難行苦行も「生きねばならぬ」やみがたき欲求の前には何の価値もなかったのだ。ヒシヒシとせめかけて来る「生きねばならぬ」という欲求の前には、体を養う牛乳の方がどれだけましだろう。

かくして、ブッダガヤの菩提樹下に於て、自覚し、体得し、「生きねばならぬ。生き得る」自信を得られたのだ。「一切衆生悉有仏性」の一大信念。私にとっては、「汝も人である。汝は汝で生きよ。汝自覚せよ。目醒めよ。汝が人なることを知る時、汝は生き得る。汝は生きんとする努力をしなければならぬ」の叫びであり、檄語《げきご》だと思う。

キリストに聞け、彼は人の子に教えた。「汝、地上の宝を蓄ふることなく、虫食わず、錆《さ》びず、腐らず、盗まれざる天の宝を蓄えよ。天の宝ある所、汝の心又あるべければなり。身の燈火は眼なり。眼あしからば身はくらかるべし。もし汝の中にある光、暗からば、その闇は如何ばかりぞや」と。心霊のかがやき、我の自覚なければ生きる甲斐なし。精神を覚ませ、精神に生きよ。私たちの精神、精神に蓄えたる自覚は永遠に亡びないからである。

「福なる哉、心貧しき者や、それ天国は彼らのものなればなり。

福なる哉、悲しむ者や、それ彼らは慰めらるべければなり。

福なる哉、柔和なる者や、それ彼らは地を嗣《つ》ぐべければなり。

福なる哉、義に飢え渇く者や、それ彼らは、飢え足らざるべければなり。

福なる哉、あわれみ深き者や、それ彼らはあわれまるべければなり。

福なる哉、心の清き者や、それ彼らは神を見るべければなり。

福なる哉、和平を事とする者や、それ彼らは神の子と称えらるべければなり。

福なる哉、義のために苛《きびし》く責めらるる者や、それ天国は彼らのものなればなり。

福なる哉、我が為に罵《ののし》られ詐《いつわ》らるるものや、それ天の報《むくい》大なればなり……」

今日一日、今日一日、私に与えられた時を真実に生きんとする努力に費やすより外《ほか》、私に何があろうか。キリストは、生きんとする道を求め、天使たるの自覚を有《も》つまでには、寂寞《さびしき》曠野に出でて、一人思い、一人苦しみて、四十昼夜も食わないで端坐し、心中におこる悪魔と戦ったと言うではないか。生きんがための煩悶、私たちの全てはこれから始まらなくてはならぬ。

我が親鸞を見よ。門地を棄て、栄華を棄て、その上に、二十年間比叡山における自力修行、深い学問を棄て、仏凡一体、法界一味の絶対安心に自己を見出し、しかもヒシヒシと生きんとする内的欲求のためには「堕落僧よ、破戒僧よ」と罵《ののし》られ、責めらるるのも厭わず、妻も持った、肉も食った。「妻も持て、肉も食え、子を愛せよ。漁《すなど》れ、田を耕せ、その内に汝らの生きる道はある」と教えてくれた。

親鸞が、肉を食いつつ、子を愛しつつ、その内に心霊の光を認め、裏切る者のために祈り、首をかかんとした者を赦し救うまでには、長い長い、苦しい苦しい、煩悶があり、努力があった。狂いそうな焦燥、大雨大風の夜のような内的苦痛煩悶があった。そして、それは黒谷の法然によって一時に、親鸞の心霊の殿堂に燈火をあたえ、光明を見出すことによって救われた。

けれども、親鸞の心の光は親鸞の持てるものである。法然は縁となったに過ぎない。因は親鸞にあったのだ。燃え燃えんとする者に火がつけられたのに過ぎない。

宗教を信じようとする人たちよ。悲しむ人たちよ。煩悶する人たちよ。そして全ての生ける人たちよ。私たちは、私たちの心に、生きる道を考えさせなければならぬ。如何に生きんとするか、それが第一の問題でなければならぬ。死については私たちは何物も与えられていない。今の私にとっては生きんとする切ない欲求しか与えられてはおらない。

私たち、今の私、生きねばならぬ私をぬきにして、ポッと死の問題や安心や悟りはない。真の光明は、田を耕す私、本を読む私、一家の内の私、国における私の内にでなければならぬ。仏凡一体、生きねばならぬ私の忠実な生の歩みの中に信がある。神の心、仏の慈悲が、生きんとする私、忠実に考え、清く愛せんとする私の努力をおいて他に、どこに於て表れようぞ。

大地の上を、ドシンドシンと、力強く、苦しまされ、虐げられ、打たれ、倒され、裏切られ、疑われ、恨まれ、悪《にく》まれ、罵られても、立っては起き、起きては立って、真実の自分に、目覚めたる自分の内的生命に生きようとする力、誠、愛、無我こそ、我が真の歩みでなければならぬ。

生きる人たちよ、自覚なしに、人生を歩み生きんとする努力をぬきにして、人の信仰や人の信念を自分の上にはりつけてはならぬ。寺に参って一生を無駄に費やしつつ、自分の上に何かを貼り付けて安心しようとする人たちほど哀れな者はない。私の信仰は、私の心のみがもつ信仰であり、あなたのもつ信念は、あなたという特殊の上、宇宙間唯一物の上にあらわれた信念です。私はそれを取ることも与えることも出来ません。

生きんとする努力を続けてお行きなさい。全ての問題の最初はここにある。煩悶《はんもん》がおこるでしょう。苦しいでしょう。けれども弱くてはなりません。途中で卑怯になってはなりません。人よ、人よ、濁った心と愛し得ざる心と悪む心と驕《おご》る心と詐《いつわ》る心と戦いましょう。全てに対して感謝しましょう。トルストイが死ぬるまで「わしにかまってくれるな。わしはほっておけ。世界には何億という悲しい苦しい人たちがみちている」と言ったように。

二　忍びざる心

蛙が温かい春の池に遊んでいる。子供がそれに石を投げる。石があたれば頭がくだけて一匹ずつ死ぬる。

「もしもし子供よ、石を投げてくれるな」

「何、わしは石を投げて遊んでいるのだ」

「あなたには小さい遊び事でも、その小さい遊び事が私たちを皆殺す」

鉄砲を背に今日一日を山に遊ぶ。人間のして悪いことではない。いい遊び事だろう。けれどその一発一発が美しい鳥を一羽ずつ殺す。生命を奪って得られる小さな遊びよ。私は他人のしているのが悪いとは思わない。とめようとも思わない。ただ私には出来ない。小さい魚が針で口の内をやぶっている。私はそれを見て楽しむことは出来ない。僕は弱いのだ。けれど僕はそれを悲しいとは思わない。私は楽しみ得ないのだ。私の道徳以上の世界なのだ。私は、美しいヤマドリが血を出して断末魔の苦しみをしているのを見るよりも、子供たちが蟻に飯粒をひかすのを見るのが楽しいのだ。

黐《もち》に羽毛がぬけてふくれた目白《メジロ》が、籠の中で逃げよう逃げようと飛びまわる。それが癖になったか、上から下、下から上に同じことをくり返す。人はそれを見て喜んでいる。人間は何故あの目白が、青い青い若葉の中で、ツリーツリーと歌っているのを聞いて楽しまない。谷から谷に、梅をたずねる鶯に耳をかさない。籠に入れて、軒にさげる人間の勝手よ。けれど悪いとは言わない。私に出来ないだけなのだ。籠の鳥の悲哀、大自然の内に自由にさえずる鳥の歓び、私は森で鳴かせたい。

私は肉を食う、魚を食う。しかも一羽の鳥すら殺し得ない。何という矛盾であろう。けれどそれは私一人の心ではあるまい。

その昔、中国の斉の宣王は孟子に言った。「徳如何なれば立派な王となることが出来ようか」。孟子は「民を愛し、仁政をほどこし、民の心を得て王となるに過ぎたことはありません」と問いに答えた。「私の如きものにそれができるか」「出来ますとも」「なぜか」孟子は言った。「王よ、あなたが御殿の上に立っておられると、その時その下を牛を引いて通った者がありました。その時、王様は『その牛はどこにどうする』と尋ねられた。『鐘にちぬるために殺すのです』。聞いて王様は『舍《お》け舍け、わしは罪なくして死地につれて行かれるその觳觫《こくそく》としているのを見るにしのびぬ』『それではちぬることをやめましょうか』と問えば『止めなくてよい。その牛のかわりに羊をつかえ』と申されたそうです。そのお心です。そのお心こそ以て王たるべきお心です。百姓たちが、王様は欲が深いと言おうが、王様はまだ殺される牛は見ても羊は見ないのです。牛を見て、その死を哀れむ心、即ち王たるべき心です」と。

私は孟子の心がうなずかれる。

比婆《ひば》、神石《じんせき》あたりからは神石牛を産する。神石牛を持っていることは農家の誇りである。強健で美しいばかりでない。柔和である、温順である。貴相さえ見える。私は比婆、神石二郡の人が牛肉を食い得ないのを知っている。牛肉さえ食い得ないその心、神石牛の生まれた原因ではあるまいか（土質や気候の関係もあるが）。

蛇を石で殺して快哉を叫ぶ子供の心は、他日、人を殺すの小さき芽であり、親不孝の種である。峠にかかった汗ばんだ馬車馬が大きな棒でたたかれる。その一つ一つは日本の馬匹《うま》が劣等にされる原因《もと》である。

見るにしのびず、聞くにしのびず、言うにしのびず、為すにしのびない心、即ち人の心である。崇高な愛も、人類救済の願いも、歓喜も平和も感謝も、忍びない心がもとである。人々よ、殺伐になれて、忍びない心の根を枯らすな。

三　人生はついにただ独りだろうか？

人生はついに我ただ一人だ。この見方は寂しい見方だ。けれども事実をいかんせん。然りだ。私はただ一人だ。私たちは生まれた時からたった一人であった。ただの一人で生まれた。親もいた。兄弟もいる。隣人もいる。けれども私は私で、私の心は私しか知らない。

一生を汗脂《あせあぶら》で子供のために美しい田と莫大《ばくだい》な金を残した親があった。しかし、残された親の心は、残った子供の一時の遊興《あそび》に使われてしまった。「はえば立て、立てば歩めの親心、我身に積る老いを忘れて」と、嬰児《あかご》の時から真実育てて来た子供は、新思想とやら、今は居所さえわからなくなった。子供は自覚した。そして、自己発展、人生理想のために、国家社会に貢献しようとした。けれども、頑固《がんこ》なそして利己的な親は親の勝手の悪くなるのを恐れて、子供の心を殺して一生を不平の内に送らせたではないか。親類は親切だった。けれども家運が衰えて来るにつれて、氷よりも冷たくなるではないか。

親はいる。親は多くの人にとって有難い。けれども、その親さえ明日いなくなるかも知れない。世の中には、親のない人、顔さえ知らない人もたくさんいる。けれども親はいる。まだ若い、元気だ。死にそうにもない。結構なことだ。しかし、病気になったらどうする。親は介抱してくれるだろう。けれども、病気そのものは親は如何することも出来ん。七転八倒苦しむ時、親に与えられたものは何だろう。熱き同情の涙と、ただ最後に与えられたる祈りしか何ものもないだろう。

病気なら医者があると言いたい。そうだ、医は仁術だ。患者にとっては救いの神だ。けれども、医者も亦、我という一物の周囲を廻って、我の組織に力づけてくれるに過ぎない。大抵の病気は治る。けれども重病が二つ三つと併発したら何とする。医者はついに匙《さじ》をなげた。後に残った私はどうだろう。

ああ終《つい》に孤独！「我ただ独りだ」と言わないでいられようか。人生、「盥《たらい》から盥に渡る五十年」、死のすぐ前、死の刹那、王侯貴紳といえども、親も子も金も位も役に立たない、たった一人の真の孤独がある。そうだ。私たちは一人生まれて、一人歩み、そして一人死ぬるのだ。

けれども、私たちは目を閉じ、口をふさぎ、深い黙想に入らねばなりません。

私たちは考えを変えて、もっともっと深く、大いに、何ものかを見出すべく黙想《かんが》えます。そして目を開きます。そして明るい大きな光に輝く世界に私を見出すことが出来はせんでしょうか。

空は晴れて、東の山から陽が、真っ赤に燃える太陽が昇って来ます。全ては、平等に平和に照らされて、自由に生きんとする力を得ています。吸え、吸え、あの澄んだ朝の空気を。弱い者も強い者も貧しい者も富める者も。全て人は、あまりに自由にあまりに平等な恵みには、感謝もしなければ恩とも思わないものだ。陽の光と空気、何の気兼《きが》ねがいろうぞ。私は平等に恵まれている。私たちが生きるにはまた食物がいる。けれども、汗をおしみさえしないで働く人には、パンを得ることは難しいことではない。

陽の光。空気。そしてパン、生活の基調はここから出る。

かくて万物は生きている。これだけは全てが持っている。

美、それは人間の造ったものではない。即ち、仮有（カリニツクッタモノ）ではない。宇宙の実在なのだ。人間には、美を楽しむことをゆるされている。私たちは美しい絵、美しい歌、美しい細工等に向かった時、その美しさに打たれる。美術品の展覧会に幾万の人が押しかけるのは、その美に打たれんためなのだ。けれども、人間の美は終に人間の造った美である。私たちの前に毎日毎日現われる天然自然の美の前に、どれだけの価値があろう。人間の美は天然の美の真似《まね》である。あるいは自然の美の表出である。

私たちが崇高な美に我を忘れてぬかずいた時、打たれた時、「これはこれはとばかり……」それさえ間にあわない、我なく、天地なく、時間なく、苦なく、楽なく、我即天地、天地即我、私たちは直に天地宇宙に脈絡貫通しなければならぬ。私はただ独りだろうか?

真は人間の心や行いではない。真は宇宙の根本の法則なのだ。宇宙は真なのだ。虚偽ではない。二と二と合わせて四となる。古今東西、五になったことはない。水は高きより低きに流れる。水が熱にあえば水蒸気となる。雲となる。雲は冷えれば雨となる。天地宇宙は一糸乱れず運行している。如何に小さきものも大なるものも、この宇宙に存在するものは、同一法則に支配されている。真である。依怙《えこ》もなければひいきもない。宇宙の真理、人間はその智慧を使って宇宙の真理を見出しては生活に応用すると同時に、その支配を受けねばならぬ。否、我々は宇宙の法則、真理によって護られている（国家の法則法律によって、我々は支配され、そして護られている様に）。

けれども、もっと進んで、私たちは宇宙の内にいるからには、宇宙の真理そのものの現われでなくてはならぬ。私たちの体は宇宙から出た、そして宇宙にかえる。私たちは不完全な人間だ。けれども昔の聖者は「衆生悉く仏性あり」と言った。そして私たちはそれを信ずる。「煩悩即菩提」、私たちは自覚せねばならぬ。真に独りだろうか。

善、誠。善とは理想にかなっていることだ。正しいことだ。道にかなっていることだ。善を成さんためにはその心が誠でなければならぬ。誠とは偽らざる心である。「私たちは人間である。人間生活には、そこに必ず道徳がある」と度々《たびたび》言った。昔から道徳の形は変わった。東洋と西洋とではもう形は異なっている。けれど、善の本質、誠に至っては、決して違ってはいない。私たちは、宇宙の意志《こころ》は善である、誠である、と信ずる。人の性も善である。

人間は偽りを言う。けれども、偽りは真の声ではない。「嬰児を見よ」。彼らには偽りはない。如何に悪人でも「誠」に感じないものはない。「鬼の目にも涙」。見よ、このせちがらい世の中に、一夜を劇場の中で、義人節婦《せっぷ》の誠や佳人《かじん》の薄幸《ふしあわせ》に感奮し、同情せんために鬼のような男が急いでいるではないか。私たちを開放し、私たちを救い、私たちを浄化するものは、理屈でもない、力でもない、ただ誠である。旅人のマントをぬがしたものは風の神ではなくて、実に温かい陽の光であった。

私たちは、友人の誠、兄弟の誠、親の誠、隣人の誠を知っている。私を、兄弟も友人も隣人も見放した時すら、益々大きな愛で愛してくれる。親は真実に私を愛してくれる。その誠が私の胸に直観的にわかった時、私はただ一人だろうか。親の心と私の心とがパッと接触したその時、その間、私と親との間に薄紙一枚でも、毛髪一本でも入れる隔りがあろうか。

夫婦の間にせよ、兄弟の間にせよ、友人の間にせよ、隣人の間にせよ、天下の同胞にせよ、私たちの間には時間と空間とを超越した温かい二身一体の融合を見るのである。誠が通じなければ、我が側《そば》の人たりとも、我にとっては犬猫の存在するのと変わりはない。誠の心で結べば、千里の隔りも遠きものではない。私は、昨日も未だ見たこともない方から温かい便りを受けました。私は顔も知らない。けれども、私はそのM様との間に懐しい何ものかの繋ぎを感じます。

私たちは誠の知れた時、信じます。唯、理屈も訳もなく信じます。互いに信ずる時、私たちの生活はたった一人でしょうか。生きているこの世で誰にも信じられない人があるかも知れない。そんなことは稀だけれども、誰にも信じられないで寂しく暮らすその人が、もし何かの書物一冊懐にして、悲しい時、うれしい時、不幸な時、その一冊を取り出しては読み、読んでは慰められていたならば、その人は唯の独りでしょうか。

お母様が死なれた方よ、お母さまの体がない。けれども一人ではない。お母様の誠を信ずる時、お母様のお写真に向かってその寂しさを語る時、あなたがたった独りでいるのでしょうか。

善！　誠！　私たちは目覚めねばならぬ。


宇宙。時間的にも、空間的にも無窮である宇宙は私たち人間の力で測り知ることは出来ないけれども、先哲や聖人達は「天地は、真、善、美に対して永劫にむかっての創造」であると考えました。

宇宙の実在は、真、善、美であります。人間心の感情は、それを芸術化して神と言い仏と見ました。ここに宗教は起こったのであります。哲学は真を求め、道徳は善を言い、芸術は美を言います。私たちの心が、真理に打たれ、誠を思い、善を行い、美に感動する時、私たちの心は、宇宙に充満し、万物差別の底に潜《ひそ》む実在に一致するのであります。かくした時、私たちはたった一人ではありません。

千年の後、楠木正成《まさしげ》の忠義に感奮する心は「誠」に於て楠公《なんこう》と感応しています。

大海を見よ。起きては消え、寄せては失せる大波小波、かの波はただ一人の寂しい波でしょうか。大海と離れて波はありません。一国の小波も、その体は直ちに大海と同一物であって、アメリカの岸を洗う波も、日本の明石に起こる波も、その体は同一物ではありませんか。私たちは、差別の上から見れば、千種万様、小さい自分を見ているけれども、これを大きく見れば、一切平等、私は直《ただ》ちに宇宙であります。

私たちは、兄弟三百、わずか三百、兄弟だと自覚しています。私たちの心が、今、人間として、寂しく、汚く、地上を歩んでいるとしても、真に人間として、苦しもうとして、努力している以上、私たちは何でたった一人でしょう。

美しい心に、正しい心に、静かな心に、そしてそして、私たちの行くべき道はわかって来ます。

四　謙遜の態度を取れ　敬虔の心をもて

私たちが一人の人間の死に対した時、如何なる人間であろうとも襟《えり》を正して何かしら真面目な心にならずにはいられません。私たちが不幸な人に同情して涙を流す時、その心は不思議に清められて、我が心の底には、穢《けが》れたる我が心を超越した、厳《おごそ》かな何ものかを見出すことを得るでしょう。敬虔《けいけん》な心とは正しい飾り気のない謹《つつし》みぶかい心です。真面目な心です。

私たちが目や耳や鼻や手や舌などによりて、物を見、声を聞き、香をかぎ、味を知るにも、私たちの心が敬虔である時だけ、真実を知ることが出来ます。私たちは自分自身をも敬虔の心で見なければなりません。一個の人間として、真に今、人間として生きている自分を真面目に考えなければなりません。

一体に多くの人は、自分自身を真面目に見る事が足りません。他人が「あなたはよい人」だと言えば、自分はよい人だと思っています。他人が「あなたは悪い人」だと言えば、悪いと思って気を悪くします。浮き草が波のまにまに漂う様に、定まった考えも自信もなく、物足りない一生を送って行く。そうして、尊い、人として生まれた一個の人が、唯わけもなく、価値もなく、墓場へ墓場へと送られて行く。

ああ、それでは人生はあまりに味がない。あまりに、生きて苦しまなければならぬ意義がない。私たちは自分自身をもっともっと深く考えて見なければならない。私たちがもつ敬虔な心は、きっと、私たちの、人生に於ける意義、宇宙に於ける存在の価値を知らせてくれるでしょう。

生老病死の人生に於ける無常の実相を深く感じさせられた釈迦の敬虔なる心は、一切衆生を平等に救済するの悟りを得ました。鉄瓶《てつびん》の湯気一つを敬虔な態度で見ていったワットは、蒸気力を応用して蒸気機関を造り出して不朽にその名を残しています。自己と救いを真面目に考えた我が親鸞には、三里十八町、冬の寒夜に六角堂百夜の祈願も何の辛いことがあったでしょう。人生に不朽の功績を残した多くの人たちは、皆、何物をもっても動かすことの出来ない敬虔の心の持ち主であった。

敬虔の態度の欠けた者は、本を読んでも駄目だ。金を持っても駄目だ。仕事をしても駄目だ。位はあってもつまらない。救われようなどとは初めから思わないことだ。人が人としての価値はただその人が敬虔の態度であった時のみできる。

人は敬虔の心を失った時、堕落の淵に陥る。愛は呪いと嫉妬とにかわり、心は傲慢になって人を軽蔑し、働くことを嫌がり、仕事に飽き、正しき心の光をかくして快楽にのみふける。自分の行いを心に問うことを止めて、他人の批評とその行いから出る利益とによって変えて行く。かくの如くして、多くの人はただ安価な一生を送って行く。

敬虔の心がない者は、真実の自己を知らないが故に、心が高ぶって来る。心の内に貯えることをしないで、傲慢の皮をかぶって真の自分をかくそうとする。心が傲慢であるからつつしみを知らない。その目に見えるものは強い腕力と少しの学問と財産と衣服と小才とである。

謙遜とは高ぶらないことだ、自分を敬虔の心で見た人のもっている美しい徳である。五の力を五と見、三を三と見る心の内である。ほんとの自分を知って飾ろうとしないことだ。他人の価値を知ってやることだ。自分が悪いと知った時、すぐ正しい議論に賛成する度量のあることだ。まちがっているのを知りながら、どこまでも押し通そうとしないことだ。

謙遜の心のないものは常に心は我執でいっぱいである。人の意見も耳に入らない。正しい道理もわからない。真面目な人を見ればけなしたくなる。人はみな馬鹿に見えて、賢い者は自分ばかりである。他人は責めても自分は責めない。まとまりそうな問題も壊して行く。いたずらな議論に花を咲かせて得意がる。心や体や財力の弱い者をば見下げて圧し倒す。

謙遜の心のない、高慢な、人を鼻であしらう妻の態度のにくらしさよ。器量を鼻にかける女の卑しげなことよ。貧乏人に威張る金持ちの面《つら》のにくさよ。自分より金もあり位もあり学問もある人に向かって、何時も何時も反抗的に出る弱い人間の哀れさよ。

人の子は常に、内心に敬虔の心をもって、自ら守り、真面目に自分を見、他人を見、社会を国家を見、宇宙を見なければならない。そして又、敬虔の心は人に接して謙遜の態度でなければならぬ。それが人の進んで行く準備だ。救われる形だ。人に愛される道だ。

五　煩悩即菩提（生死即涅槃）

目覚めよ！　然らば即ちこの世は極楽なり。
目覚めよ！　然らば即ち汝は絶対（仏神）なり。

私たちは人間だ。まことに愛と嫉《ねた》みとうれしさと苦しさとをもって生きねばならぬ人間だ。「あゝ嫌だ」と言ってもこの世は限りなく懐《なつか》しい。生きていることがこの上なくうれしい。辛《つら》いのに、苦しいのに、それでも、今日、今日が私のために与えられていることに安心して、「生きている。今、生きている」ということに、この上ない力強さを感ずる。そうだ。私たちは生きねばならぬのだ。私たちには、まだ知ったことのない死が、何時与えられるかも知らない。けれど、それすら、死、それすら、あまりに考えている暇がない。

「死んだら何もなくなる。家も親も愛する人も何もなくなる。死は最後だ」ということを考えることは、あまりに大きなことだ。もしそれを真剣に考えたら、私たちは何もしたくないだろう。生きていることさえ嫌になるだろう。有難いことには、私たちは真実のところそんなにまで死を怖れていない。死を考えることよりも生きていることがなつかしい。私たちは死にたくない。どうしても生きたい。今日一日、この確かな私の生命のささやきを聞いて、もっともっと生きていたい。

そして、私の生命を育てたい。私は成長したい。私の内にある全てのものを力一ぱい育てたい。私は一丈の高さになるものか、百貫目になるものか、まだ知らないことだけれど、知らない私の生命の力を見たい。永遠に育てたいことだ。死など考えたくない。死などない。死など考えたって私たちにはわからない。まだ見ない世界だ。経験のないことだ。それよりも私は、私が人間として生きていることに、この上もない驚異《おどろき》と感謝を思う。私は私を育てたい。

生命を育てると言えば、わからないというおばあさんがあるだろう。難しいことではない。杉苗の様に私の心が伸びて行くことだ。自動車を毎日見て驚異を感じたH家の坊ちゃんは、毎日毎日、唐紙と言わず、本と言わず、柱と言わず、手当たり次第に自動車の絵をかく。新しい芽は目に見える様に伸びているのだ。私はさわらずにおきたい。凪にあてないようにして、そのままを正しく育てたい。その真摯《しんし》な遊戯の中には将来のラファエルの絵があるかもしれない。ロダンの様な芸術があるかも、ニュートンの様な発明があるかもしれない。

全ての人の子の生命は皆それだ。その生命は何を有するかわからない。けれども人間は、自分をもっともっと何かで大きくしたいのだ。自分を育てたいのだ。それが私たちの根本だ。

「私たちを成長させたい」。それは欲だ（煩悩だ）。私たちのしていることはみんな欲だ（欲はいわゆる、利己主義ではない）。人間のしていることは私を育てたいという欲が根本なのだ。人間のしていることには、随分と自分を育てることから遠ざかったことが多い。けれども、それは方便に方便がついて、末《まつ》に走って本《ほん》を失ったのだ。例えば、私たちは児童の体育を向上させたい。そのために優勝旗を作って児童を奨励する。児童体育を進めることが目的だったけれども、いざ実行となると体育よりも「勝って優勝旗を得る」ということに目的が移ってしまう。そして、それを得るためには技巧に走り、時には権謀《はかりごと》さえ用うる。

ちょうどそれと同じように、私たちは私を育てたい。そして、私は、私を育てることによって、満足があり生きる幸福を感ずる。そして又、国家のお役に立つ、社会のためになる。私を育てるためには金がいる。金がない。働いて取れ。それでは急に出来ない。つい盗む者ができる。人間のあさはかな近道だ。浅知恵だ。金を得るために働いている時にさえ、私を育てていることを知らないのだ。

そうだ、つまり私たちの生命は育てなくてはならないものなのだ。

私たちは、生きんがために限りない欲望をもつ。果てしない望みを持つ。私が生まれて、呼《い》吸《き》を一つしてから、母の乳房をくわえてから、私たちは来る日来る日、欲の連続だ。私たちは、食いたい、着たい、愛したい、知りたい、見たい、聞きたい、美しく住みたい、泣きたい。それを今日まで続けて来た。私たちから欲を去《と》ったら後に何が残るだろうか。欲を去ったら私は呼吸をしている人形だろう。欲は人間の本質だ。

私たちは、知りたい、何でも知りたい。それで人だ。

私たちは親を信ずる、そして、親を愛したい。子供を愛する。兄弟、国民、そして、全てを愛する。けれども、愛する者が裏切った時、言い様のない寂しさを感ずる。そして嫉妬する。嫉妬は愛を知る者の必ず持つ感情だ。出すと出さないとのちがいばかりだ。私たちには嫉妬の心さえおこさないわけには行かない。それで人だ。

私たちは生きたい。智者も生きたい。救われた人も生きたい。真に正しく生きたい時には、自分自身を殺してさえ、生命に生きる。それで人だ。

「死にたくない」「そして数限りのない欲望をもつ」。それがほんとの人間だ。「死にたい」「そして欲がない」。そんな人間はない。人間だという証拠には、生命全部が欲望であることだ。「欲を離れました。山の木など少しくらい取ったとて何ともない。小作米などちょうど都合のよいほど持って来いと言っています」と言ったある老人は、「そうしておけば、死んだ時、焼いた時、せめて悪口だけは言ってくれまい」と付け加えた。しょせん！　物欲をはなれたら名誉の欲が出て来ている。

私たちは欲が悪いと思ってはならない。否、欲は多いのが本当の人間だ。益々高尚な偉大な欲望をもたねばならぬ。よしそれが罪であろうと、煩悩であろうと、欲は私たちの心の全部である。私たちは人間に生みつけられて、動かない宇宙間唯一の確かさと明らかさをもって、私が今私一人の世界を持っていることを知っている。私にとっては、今のこの私、欲望にみちたこの私を忠実に育てるより外ない。私は、この生きたい、愛したい、見たい、食いたい等という欲望をみんな投げ捨て、死を旅行の様に考えることが、もし悟りであったり、救いであるなら、救われなくてもいいと思う、悟らなくてもいいと思う。

私はそんなものが欲しくない。ただ私はこの私に与えられたその世界、私自身の内的生活(よしそれが罪でも煩悩でも)、そのまったただ中に見出される救い、私がより高く、より美しく生きることに役立つ救い、生命を育てることに合致する救いでなければならん。私は灰身滅智《かいしんめっち》の精神苦行や、高野山への隠遁《いんとん》などよりも、私の愛する兄弟たちに一滴の涙を注ぐ生活の方が有難い。

こんなことを考えると、限りなく親鸞が懐《なつか》しい。

「そこだ、そこだ」と言ってくれる様な気がする。

隣人の生活が豊かな時、他人が幸せの時、それすら共に喜び得ないで悪魔の様に呪った女が、嫁の小さい過ち一つゆるし得ないで若い嫁を痩《や》せさせた姑が、一時間たたない内に仏の前で極楽参り（何という利己主義だろう）を願ったり、山境をせるために使った鎌を腰から外して、すぐ仏の前で御誠悔文を唱え得るまでに、信仰を堕落せしめた旧い人たちよ。御結構ですね。安価な信心ですね。

皆様が、日曜に教会に集まって美しく讃美歌を歌ったり、お祈りなさるところは、きれいですね。けれど、禁酒禁煙や、慈善鍋ばかりが皆様の御仕事でしょうか。それも結構です。けれども、皆様は天父のおぼしめしにかなっていますか。神の子の自覚がありますか。「独りで祈って」神様と感応が出来ますか。

私は、けれどこんな生活を知っている。

愛する夫が病気になった。家には日一日と田がへり、山がへり、もう食うにも困る。夫の病気は肺病だった。一生の愛を捧げた可憐《かれん》の妻は運命を呪わなかった。そして、不治《ふち》の重患に苦しむ夫に、やはりキッスを与えることが出来たその生活。最愛の妻を失い、子に死なれ、不幸な運命の悪戯《いたずら》に、よく精神の平和を得て、やはり感謝し得たその生活。死の間際まで、妻、子供、下女、書生、看護婦たちまでを、感謝と慰めと愛とで感泣《なか》しめたある富豪の生活。病気のために全身不随になって二十年来寝ていながら、全てを運命にまかせ、生命の歓喜をもって人を救いつつある或る女の生活。

そんな生活は、私たちの内にわき出した、生きんがために求めた信仰の上に出来あがった偉大な生活です。

人生は信仰だ。今平気でいるが、今すぐ驚天動地の大事件がおこるかも知れない。私たちが孤独な時、厳粛な時、私たちが及ぶかぎりの出来事を想像する時、身の毛のよだつ様な気がする。

私たちは平気でいたい。動揺し易い私の心に中心点がほしい。私は私であって、私のままのその中に動かないものを見出したい。私たちの信仰生活を確立するのだ。目覚める、救われるとは、私の内に宿る力、私を育てる、私を真に育ててくれる力を見出すのだ。腐り果てた肉や魂の中にさえ、動かない倒れない真実の力を、光明を認め仰ぐのだ。

私たちの周囲が鬼と見え、敵と見え、私を傷つけ、私に怒りと呪いとをのみ送る様に見える私の生活を、私を生かし、私の生命を育ててくれる方便力と見たい。

私たちの周囲は、出来ては消え、消えてはできる無常の相と見ゆれど、その中に永劫変わらぬ常恒不変の一貫の生命を知りたい。私の生命とその生命とが抱きつきたい。そして、私の永遠に生き得る生命を育てたい。

信仰は、死んだ後、金銀瑪瑙《めのう》でかためた極楽や、花降る天国に一足とびに行くことよりは、如何にして生き得るかが、今の私にとって切実な要求です。未来なんか「総じてもて存知せざるところなり」です。死後なんか私の役目ではない。私には唯、生きることが与えられているばかりだ。私たちが真実に生きんとするとき、私たちのその中にほんとの光明は見出される。

信仰は私たちの人間としての生活を否定するのではない。欲を離れるのではない。私たちは欲でかたまっている——儒者は煩悩だと言う——それでいいのだ。私たちのほんとの欲（第一義的欲）を満足して行くのだ。欲が罪悪なら、私たちは地獄にでも餓鬼道にでもゆくより外ない。

方法は何でもいい。私たちの生活には信仰がほしい。否、なくてはならぬ。信仰のないために、人間は野良犬の様にキョロキョロしている。右の者が、「あなたは悪い」と言えばびっくりする。左の者が「よい」と言えば急に賢くなる。他人の顔色や、言葉や、裁判で、毎日七面鳥の様に自分の顔色をかえて暮らしていることは、何という無意義な生活でしょう。

私たちが真実に人を愛しようとしても、信仰がなくては出来ないことです。中国の聖人は、「君子は李下《りか》に冠《かんむり》を正さず、瓜田《かでん》に沓《くつ》を入れず」と言いました。けれども私たちは、李《すもも》を盗んだとか、瓜《うり》を取ったとかの疑いは受けても、人を愛さなければならぬ時があります。

万人の疑いは受けても悲しき者のために祈る強い愛はどこから出るのでしょうか。万人が悪いと裁きをつけても、私には寂しい辛いことがあります。私たちのほんとの道はそこにあると思います。善くても悪くてもいい、私はただ神様の仏様の思し召しやお裁きのみを聞いていればいいのだ。言いかえれば、私の心の内にのみ信じればいいのだ。それで全てを満足したい。ほんとの裁きは神から受ける。仏がする。


私たちは、私たちが人間であることに気がついて、真実の生活に進む時、私は苦しみます。悩みます。けれど、私たちはその悩みの中にこそ、燦然《さんぜん》と輝く光明を認めることが出来ましょう。一貫の生命は、偉大な生命に感応し、絶対の愛に抱かれることができるでしょう。私たちの美しい希望を、死も生も超越して、永遠に持って行くことができるでしょう。そして、私たちは、唯これをのみ私の生命として、来る日来る日を私の生きるために一分をあせって使うこと、私たちが美を賞翫《しょうがん》し、私たちの生を楽しむことが、その生命と一致することを見出すでしょう。

かくして、私たちに与えられるものは、感謝です、生き得る力です。

六　苦痛の中の法悦

私たちは考えねばなりません。

「汝、培《つちか》わずして作物の実を得んと思うなかれ。汝、骨折らずして利益を思うなかれ。汝、働かずして富まんことを思うなかれ。汝、人を愛する能わずして愛を得んと思うなかれ。それ汝の堕落なればなり」

「他によって温められたる者は再び冷えん。汝の内に光と熱とを出す力ありや否や」と。

弟よ妹よ　苦しくても

皆様、皆様の内には悲しい境遇の人が多いのを知っています。

内的革新に急ぎつつ苦しい煩悶を続けている人を知っています。

愛に飢えている人を知っています。体の弱い人を知っています。

人は皆苦しい。けれども私たちは苦しい時、真面目に苦しむより外ありません。苦から逃れようとすればするほど苦を増してきます。苦しければ苦しみましょう。苦を苦しむ真摯《まじめ》な心はきっと、苦のそのまっただ中に何か大きなものを見出すでしょう。私たちの内面に湧き出る苦しみは、真実の苦しみは、私たち改造向上の源泉であります。

苦しみに対して卑怯になってはなりません。人が堕落する。それは苦から卑怯に逃れるのです。苦を苦として、強い人のみ向上の一路をたどります。弟妹よ、苦しくても忍べ。進め。苦を苦しむことによってのみ慰められなくてはならぬ。

人は苦しむ。全ての人は苦しむ。ある時は笑うだろう。ある時は歌うだろう。ある時は躍るだろう。けれども酔いは醒める。笑いも歌も消えて行く。そして後に残るものは力無き寂しみと堪えがたき悲しみ。青春を飾り、歌い、歓びし女も老い、力を誇り、智慧を誇り、富を得、名誉を勝ち得し男も亡ぶ。かくして苦しむ人の子は、何時来るかわからない死の魔の手が近よりつつ、我をおびやかしていることを知っている。苦悩！　そして死！　何たる人の子の運命よ。

唯物論者たちは言った。「人もまた物質である。肉体と共に我は亡ぶ」と。快楽論者たちは言った。「人の子の生きる目的は快楽である。人よ楽しめ、最大多数の最大快楽を」と。

けれども、泡沫の如き快楽の裏に潜む寂しみをいかんせん。人にとって、現実のこの苦しみと煙のような楽しみとで達し得たその死が、我の滅亡であって何としよう。

苦しみ、死、我の滅亡！

苦しんで生きる必要がどこにある。

僕は信ずる。「僕たちは生きる。永遠に生きる」

否、我々は今ひしひしと我が内に霊感している、「汝は永遠にあり」と。

目覚めよ！　その後に苦しみがある。

自覚！　苦しみ、自覚！　苦しみ。

それのみが、人に与えられたる最大なる幸福である。

我らに与えられたる永遠への光明と向上とは我々の生の価値と意義とでなければならぬ。

かくして私は生きねばならぬ。

滂沱《ぼうだ》たる汗と涙と淋漓《りんり》たる血を流しつつ苦しんで。

私たちは一日にたった一度でもいい、真面目な自分でいなければならない。

虚偽、虚飾、怒り、恐れ、高慢、憎しみ等の重荷を下ろして、真実の自分を味わわなくてはならぬ。

苦しみなさい。煩悶なさい。その苦しみや、その煩悶が現在のあなたの生活に不満を感じ、無意義を感じ、向上の一路をたどるための煩悶なら、解決のつくまで煩悶なさい。苦しみなさい。雪隠《せっちん》に入ってなれたらその臭気はわかりません。酔生夢死、ただいたずらに暮らせば煩悶も苦しみもありません。煩悶のための煩悶でないかぎり、煩悶は大切に育てて解決なさい。

弱い人間たちは、煩悶の苦しみに堪えないで、煩悶から横道に逃げて、その苦しみを避けようとしたり、無自覚な状態に逆戻りしたりします。それではなりません。私たちが私たちの内に自覚を見出した時、必ず煩悶に出会います。煩悶は向上の第一階段であります。煩悶なきものに勝っています。けれども煩悶は古い我の破壊の苦しみであります。その後には煩悶を超越した光明を見出さねばなりません。私たちが煩悶を正しく真っ直ぐに苦しんだ時、その後にはきっときっと光明に輝く自分を見出すでしょう。私たちは法悦に躍《おど》る私を見出すでしょう。

私のように富のない方よ、私のように位のない方よ、私たちには別荘もありません。自動車もありません。位もありません。けれども何で悲しむことがいりましょう。何で恥ずかしがることがいるでしょう。私たちは一生懸命働いています。私たちは働いて食っています。私たちの労働で得たものをもって暮らしています。何で恥ずかしがることがいるでしょう。私たちが正しくて、私たちが自分の力で生きている以上、私たちはうれしい気持ちで揚々《ようよう》として大道を歩みつつ、いよいよ自重して突進しなくてはなりません。

百姓が何で卑しかろう。職工が何でいやだろう。自分たちの職業を辱しめてはなりません。俳優の真似をして遊んでいたり、飲み屋の家内を殺したりするような華族の若様より、車に人を乗せて走る車夫の方がどれだけ尊いでしょう。働いて食っている私たちには、苦しい中にもどれだけ人間らしい悦びがあるでしょう。

忙しい体、忙しい身の上と申します。忙しい者は喜ばねばなりません。

この忙しさも自己向上のため、社会のためと思うなら、喜んで忙しく暮らしましょう。私たちはまだまだ仕事をしていることが足りません。昔からの精力家は一夜三時間、四時間しか睡眠時間を取っていません。私たちはそれに較べたらどれくらい怠けているか知れません。

朝早くから来る時間も来る時間も、自分の何かしている有益な仕事で充たして、うれしい一日を満足の内に暮らして、健康な体を寝間《ねま》に横たえ、思うこともなく深く安らかに眠り得る人は何という幸福でしょう。仕事の無い一日を、病と消化不良と不平に暮らして、寝間の中で眠られないままに苦しむ者とは何という大きな違いでしょうか。忙しきものは祝福されて健康を感謝しなくてはなりません。

私たちは時間の不足を常に感じます。けれども私たちの自由に使い得る意義ある時間は、待つべきものではなくて、造るべきものであります。忙しい中にも時間を造って、修養につとめなくてはなりません。そして、忙しいそのまっただ中にも、これが私の生きる道と、心からの法悦に満足しなければなりません。

七　生きねばならぬと言う者に

「愛の信仰のと言う前に、私は生きねばなりませぬ……」
「私の願いをつきつめたら、結局生きねばならぬということでした……」
「論より証拠、人たちをごらんなさい。生きるためにのみ働いているではありませぬか」

そう言いなさるのも無理はない。私はこの問題に対して答える前に、ほんとに真剣な態度で人生を見つめる者の、是非行きあたらねばならぬ問題として、尊い同情を捧げます。

生きねばならぬ、何というはっきりした、そして力強い悲痛な声でしょう。

大地の上に両足をふみはって目を地上にそそぐ時、生きねばならぬという悲痛な願いが噴水のように湧きあげて来ます。けれど私たちは、もう一度深く考えをめぐらさなければなりませぬ。いったい、生きんとして生きる者に生き得なかったものがありましょうか。そして又、生き通されたものがあったでしょうか。言いかえると、生きたくないと言っても生きねばならぬ、生きたいと言っても死なねばならぬ、それが生きるということの意義ではないか。

だとすれば、ただ生きねばならぬということは問題ではないのです。その上に、

「如何に」

そうです、「如何に生きるか」、それがほんとの問題ではないのでしょうか。

真実に生きねばならぬ。

美しく生きねばならぬ。

尊く生きねばならぬ。

豊かに生きねばならぬ。

生きねばならぬだけなら、どんなに人生は怠けたものになるでしょう。

生きねばならぬだけなら、私は私の母が餓死しそうな時すらほうっておきます。私は生きているからです。けれど、餓死する母を見ていられないで、私の汗をもって得た食物を半ば分けて与えるのは、愛に生きねばおれぬ私の心があるからではありますまいか。人生の妙味はここから湧くのではありますまいか。

人の貧しさも、ただ貧しさのみなら苦痛ではないのだ。貧しさと愛とからまるところに、孝子生まれ、貞婦《ていふ》出で、忠僕を奮起さすのである。

豊かに生きたい。それが人間の最初の問題であった。美しい家に、美しい衣服をつけて、美

味しい食物を食べて生きたい。そしてそれが今まで大部分の人間の働く根本問題である。この問題も、最初は生きることが中心で、物質はその家来であった。けれど人間は長い間に魂を物質の家来にしてしまった。物を得んために五十年を費やして、何も持たないで墓場に行った。見よ。現在、世界あげて風靡《ふうび》せんとする社会主義的思想は、世界の富を如何に個人に分かつべきかということにすぎぬではないか。けれどもっと深く考えた時、無限の欲望をもつ人間の生活に、ある一定の物質財産を持たせただけで、ありがたいと満足するだろうか。美しい西洋館に、食うに山海の珍味をもってさせたら、もう問題はおこらぬだろうか。

覚めたる魂はそれだけではきかぬ。

人間の魂はそれではきかぬ。

もしゆたらかに暮らせばいいだけなら、それだけなら、私は如何にしても、どんなむごたらしい目に他人をあわせても、富を積む。勉強もいらぬ。道もいらぬ。金色夜叉《こんじきやしゃ》となって生きる。けれども世界が生んだ最も覚《さと》った人たちは、財産すら破れ草履《ぞうり》の如く棄ててしまった。

私たちはもっと深く求めねばならぬ。人間の魂が若々しいだけ、善を好んで悪をいとう。

真実に生きたい、善人として生きたい。この願いのない人間はあるまい。より真実の世界に、より清い生活にと、どんなに消そうとしてもかき消すことは出来ぬ。

真実に生きるためには好んで貧しくさえ暮らした。否、真実のためには生きねばならぬ生命さえ棄ててかかった。人類の長い歴史はそうした真実の生き方についての問題を追うて来たのだ。

かく複雑になって来た時、「生きねばならぬ」という問題は、「如何に真実に生きるか」という問題にかわって来た。

私はむずかしい認識論的議論を省いて、私の達した結論に進みます。

「私たちは愛に生きねばならぬ」

それはキリスト、釈迦、孔子、その他の聖者がこの地上から消えない限り、私たちに必然に残された真理であります。そして私の心の衷心の願いをつきつめた時、明らかに達し得る断案であります。

最後に残る問題は、私たちはこの切なる願いをいだきながら、世界人類、禽獣草木、国土、一切をわが子の如く愛し得ざる悲しみであります。何故に「三界は我が子なり」というように愛し得ないか。そうして又、私たちはこの切なる願いを抱きながら、何故に間もない内に死なねばならぬか。

この二つの問題に答えるには人間の智慧はあまりに小さいのであります。死がある以上、問題は未解決のまま残ります。私たちは、現世ばかりでは一切の問題に指一本ふれることは出来なくなりました。

何故に、悪人でも栄えるか。

何故に、聖者さえ血を流さねばならぬか。

何故に、善を求める心があり、愛せんとする切ない念願に生ききれぬか。

何故に、地上ではものの生命をとらねば生きられぬか。

何故に、男女の欲があるか、醜交によって生まれねばならぬか。

死後の私たちはどうなるか。

この切ない願いを完成することは出来ぬか。

まだまだたくさんな問題がある。そうしたことの解決がなければ生きていることの出来ぬものの、如何に生きねばならぬかの最後の解決のなくてはならぬものには、ここに新しい無限の世界が与えられる。これが即ち、光明の世界である。一人の衆生の信仰はこうして生まれる。

若き真面目なる、真剣なこの問いを出された青年に、この一篇を送って、深い世界へ入って永遠の自分を見出されることを念じてペンをおきます。

八　試練の苦杯

かつて同志社大学の教授であった日野真澄氏の著書『悲劇の苦杯』を読む。日野氏は、大正八年一月二十五日午前三時、突然同氏の宅を見舞った怪火事のために、恵美子さん（十七歳）を頭に五人の愛児を失われたのである。五人の愛児は焼死し、家屋は全焼し、家財書籍等全く烏有《うゆう》に帰したのであった。この世にまたとあり得ないようなこの悲劇、女学校に中学に小学校に通っておられる蕾《つぼみ》のようなお子様を、一夜の中に怪しい火事のために焼き殺された日野氏の心中、これほどの気の毒がどこにあろう。思わず熱涙をのんだのである。

涙は涙と相通ず。句仏《くぶつ》上人大谷光演師はかつて政子姫を失われた。当時、上人の歌や詩は私を泣かしむるに十分であった。日野氏の『悲劇の苦杯』の巻頭に上人の句がある。

「未曾有《みぞう》の災厄にて五児を失われたる日野氏が、思い出の椿五本を植えられたるに、深き哀悼の誠を捧ぐ」と題して、

「花落つる夕暮はさそこの椿　句仏」

日野氏は言うまでもなくキリスト教信者である。けれど仏教徒たちの間に小さい争いが止まない時、こうした句仏上人の清い涙はこの上なく尊い。

句仏上人は言う。

「予が体験した一事件ばかりは、黒インクで書き付けたそれのように、時の流転には何の交渉ももたない、永遠な追憶を新にする悲しい記録を残している。それは『吾子の死』という一つの事件であった。永久に予が脳底に浸み込んだこの痛感は、自己のある部分を削り取られたかのような感じもする。予は四人の児をもった。そしてただ一子を失った。しかもそれが四人中三人までも亡くしたような寂寞が湧く。一人の子を失ってもこうした悩みがあるのに、日野真澄氏がなめられた苦杯は実に惨中の惨であった。五人の愛子を一時に亡くされた惨劇は避くべからざる運命ではなかったと聞く。この事件は人格者に対する運命の試練とも言われよう……」

悲惨な試練の苦杯を手にした者のみ、真に涙を捧げることが出来るのであろう。

誰が何時どんな厳しい試練に遭《あ》うか知れない。あらゆる人間苦、人間苦と言っただけで涙がこぼれる。血の試練。キリストは十字架の上に血を流した。そうして神の子の試練に打ち勝った。親鸞は流された。承元の昔、法然上人を中心に黒谷の教団は迫害のためにお上の罪科に問われ、あるいは殺され、あるいは流されて、浄土門の歴史の上に血涙の頁を作ったのである。あれほどまでに敬慕された法然上人と生別をせられた親鸞聖人は何と言われたであろう。越後の荒涼たる配人としての生活の中にも、

「大師聖人（源空）もし流刑に処せられたまわずば、われまた配所におもむかんや。もしわれ配所におもむかずんば、何によってか辺鄙《へんぴ》の群類を化せん、これなお師教の恩致なり」と。

こんな惨劇に出会われてさえ、こんな苦杯を手にしてさえ、こんな厳しい試練にさえ、こうした微笑をもって試練を突破されました。かかる涙の試練を受けられることによって、「心を弘誓《ぐぜい》の仏地《ぶつち》に立て、念を難思《なんじ》の法海《ほうかい》に流された」無碍《むげ》の道味《どうみ》は加わり、呪いや絶望のあるべきところにも、不可思議な願力からの権威ある信念が聖人を一層大きくしたのでしょう。

弱い者は苦しみに出会って絶望する。楽しみに溺れて堕落する。

妻を持つことも試練である。夫を持つことも試練である。家庭を持つことも、子のあることも、貧しいことも、多忙なことも、世の中の迫害も、全てあらゆる人間苦は、それが尊い私への試練である。

一目見て懐しい人、底光りのする人、温かい人、それはきっとその裏に苦しい人間苦の杯《さかづき》をもった人である。

人間にはきっと試練がある。絶望してはならない。呪ってはならない。愛する者が裏切った時、愛する者が死んだ時、悲しい運命が見舞った時、泣けるだけ泣こうではないか。

「今宵一夜泣き明かすこそ　せめてもの心やりなれ　泣くということ」

それが囚われて生きる者の正しさなのだ。

夫の仕打ちに泣き、妻の冷たさに怒り、他人の侮辱に立腹し、子供の不孝に世を呪い、親の勝手に自暴を起こし、友達の不実に愛想をつかすことも、人間としては止むを得ないことだ。

寒い時には寒いのだ。熱いのはやはり熱い。うれしい時には歌ったがいい。けれど一度涙をふこう。そうして立とう。呪いの火炎が口から出る。一口出る、二口出る。口を閉じよう。そうして立とう。帯をしめかえて、行儀よく坐って、はっきり自分を見つめよう。そうして新たな自分を見出そう。

大地は今、春の温かさに恵まれて、芽はふくらみ、花は笑う。春はいいにちがいない。けれどあの切るような寒い冬を考えないで春はない。暑さ寒さの中にも恩恵がある。冷たい氷のような人の仕打ちにも、涙の幾夜も続く不幸にも、死んでも足らぬ逆境にも、それにはそれに自らなる恩恵がある。

召さるれば生命も捧げよう。
一途の願いの前には道徳すら飛び越えよう。
病は苦し。されど病なくしてどうして他人の病に誠が捧げられよう。

偉人とは、聖者とは、尊い試練を与えられた人だ。そうして、その試練に勝った人だ。キリストも親鸞も松蔭も西田天香も私も、皆、凡夫である。凡夫でありながら彼等は皆尊い聖者であり偉人である。彼らは願生《がんしょう》に生ききった。そして尊い試練を見出した。私はただいい加減に暮らそうとする。尊い試練に生ききらない。だが私の霊《たましい》は常に無限の彼方をにらんでいる。無限絶対広大無碍の白道《びゃくどう》の上に立った私の生命は、ただ願生に生きんとしている。信仰はただ極楽参りをすればいいような人たちの如く、どっさりお救いに腰をかけることではなかった。試練、よしそれが地獄であろうが、閻魔《えんま》であろうが、火の河であろうが、水の荒波だろうが、恐るることなく永遠の精進にのぼることであった。お光に燃える私が。

（二月五日）

九　逆境《ふしあわせ》のどん底から──ほんとの喜びは──

私は人間に生まれたことをうれしく思っている。この世ほど懐かしいものはないと思っている。けれども私は人生が楽しいとは思わない。生きたい生きたいと願っても、楽しまれるからではない。私は一年一年、この世のたって行くのが何よりも早い。そのあわただしさに泣いたほどだ。そして私はあまりに早く死なねばならぬことを辛いことだと思っている。そんなに人生に執着しても、それは人生が楽しいからではない。私たちは、年一年と、重荷を負って行かねばならぬ。私の周囲には年一年と辛いことが増して来る。私は益々生の苦しみを感ずる。私たちが真実に生きようとすればするほど、私たちの周囲が気にいらなくなる。世の中の偽りの生活が私を俗化しようとする。私を伸ばそうとすればするほど苦しい。

私は人生が楽しいものだとは思えない。苦しいもの、寂しいもの、悲しいものだと思っている。私の霊《たましい》は酒に酔って楽しむのには余りに自分自身を見つめすぎている。他人が上調子になって騒いでいれば、私の生命はその中に通る悲哀をくもうとする。

私は幸福や楽しみを追うことには飽いたのだ。ほんとのところ、私をほんとうに育てるものは私の悲しみだと思う。「私はたった一人だ」という寂しみからだと思う。私たちを引きしめてくれるもの、私たちを厳粛な信仰生活に入らせてくれるものは、私たちの悲哀や寂しさだと思っている。

どんな悲痛も、どんな逆境も、どんな寂しみも負って行くことのできる私になりたい。それが私の望みだ。キリストにしても親鸞にしても、全ての悲痛や逆境や寂漠を忠実に味わって、それによってあの偉大な人格や信仰を建設《うちた》てることが出来たのだ。全てを呪い得ない、自分を呪う者を呪い得ない、その心が生まれるまでには、どれだけ彼らが辛さや苦しみに耐え続けたことだろう。

私たちは、苦しさをさけようとしてはならない。寂しさを何かでまぎらわそうとしてはならない。私たちを引きしめて、厳粛に、苦しさの中に我自身を見つめねばならぬ。私たちが悲痛のどん底に立って、「おお、たった一人だ」と思う時、ほんとに大きな大きな何ものかを得るのだ。

私が、一番ひきしまった心をもつことのできるのは教壇に立った時だ。私の一挙手が、一言葉が、子供たちに不断の何物かを与えると思う時、相済まぬ様な気がしていけない。俺はお前らの先生だ、という心になれない。赦してくれ、お前らこそ俺を育ててくれるのだ、という気になる。私が教壇に立ったとき、彼らを威圧する気にはなれないで、先に涙が流れる。私は、私の子供がしていることだけは、呪わないでもすむ様になった。子供たちの内には、私を信じ得ないために、私を悪人にしたり、私を呪ったり、私を罵《ののし》ったり、時には彼らの満足のために、私を世の中に売ってしまうものさえできる。その度に私は迷惑する。悲しいことに思う。けれども私はそんな子供を憎み得ない。いや私はそんな子供こそ、いつも忘れ得ない。私のすることに疑惑を持つ子供こそ、あるいは真実を求めようとするほんとの人間になるのかも知れない。私は私自身に叛《そむ》く子供をすぐ悪人にすることが出来ない。私の言うことに盲従する子供よりは、私を理解しようとする子供が、ほんとはより多く天才的な人間らしい子供かも知れない。

奥様、あなたは信仰問題で苦しんでいらっしゃる。お家にも色々ほんとにお気の毒な悲しい事情がおありの様です。二つの問題で苦しんでおいでの様です。御同情申し上げます。あなたは御自身でも精神大病人とおっしゃる。僧侶の方からも、あんなにひねくれてとか、宿善が至らないとか言って突き放され、鬼の様な人の利己主義のために苦しめられておいでです。

あなたは悲哀の寂漠のどん底にお立ちになったのです。私は、手っとり早く早合点した信心や、ある所に腰を下ろした信心や、信仰は信仰、世渡りは世渡りだと、二重に暮らしても平気な信心よりも、あなたのその飽きたらない心、世渡りと信仰生活とが別々になることをお歎きになるそのお心の方が、近道ではないかと思っています。あなたのほんとの光明は、全てにつきはなされた今のあなたの悲哀のどん底から、そのあなたの純な態度の中に、ほんとのものが生まれて来るのです。どうか親鸞の型にはまろうとなさいますな。その悲しいたった一人のあなたの生命の内に、天籟《てんらい》の響きをお聞きなさいませ。

人間のほんとの生活は力ではなくて愛なのだ。宇宙一貫の生命は力ではなくて愛なのだ。けれども、社会は愛の団体ではなくて力の団体となった。金力、権力、学力、全て力で動くものと思っている。人間たちはその力に苦しんで来た。特に近来、文明は物質を基本にして立てられた。人間たちは血眼になって力を得ようと戦《いくさ》の様な生活を続け出した。生存競争などと悲痛な言葉さえ出来た。「金を得よ！」「名誉を得よ！」「位を得よ！」「権力を握れ！」、それがこの修羅の様な世界に住む人間たちの守り本尊であった。青年の標語であった。

法律も宗教も道徳もこの力を得る方便に過ぎない。「偽りを言ってはならない」、「何故か」と彼らに問えば、「信用が得られるから」。「信用を得たら？」と問えば「信用があれば金儲けができるから」と、きっと金儲けがつけ加えられるだろう。愛の生活には誠でなければならぬ、信用がなければならない、というのではないのだ。政治家といえば権力を握る争いをしている人にしか見えない。何とその政見発表の演説に陥穽《かんせい》と詭弁《きべん》と野卑な攻撃の多い事よ、国民的愛を建立しようとしていてくれるのだろうか。

彼らが力を得んがために戦っている様を見よ。力の弱い、戦いに疲れ、傷ついた人間たちがころがっている。恨みの記念塔や憤怒《ふんぬ》の石碑がいっぱい立てられている。村を見よ、どこの村に行っても、権力を弄《もてあそ》んだ人間たちのいきさつのために、純朴な村民たちの苦しんでいないところがあるか。力を弄ぶ人間たちのためには無形の血が流れ、生きたる屍が山と積まれる。

力を信ずる人間たちよ。「何、世の中には、金の力、権力で動かない者があるか」と通してみることだ、豚の様に卑しい人間、猿の様な狐の様な愚かな、そして小智慧のきく人間は、その力の前にかがむかも知れない。けれども、匹夫《ひっぷ》も心を奪うべからずとか。純真な人間を全て力で征服しようとしてみることだ。できるかどうか。よし又出来たにしても、力以上の世界がほしくはないか。愛の感激の世界が欲しくはないかどうか。女の体を買い得るだろう。酒池肉林を買い得るだろう。けれども、その愛を買い得るか。肉以上の世界を買い得るか。権力で盲従や屈従を取り得るだろう。けれど、尊敬の伴う服従、否、愛の世界を受け得ることが出来ようか。

世界は争闘に疲れて来た。到るところに力に傷つけられた人間の墓場が出来た。私たちは偉大なる殉教者がほしい。立った殉教者も立った殉教者も、彼ら、力の人間たちのために葬られるだろう。けれど私たちは昔を見る。徳川幕府は十五代にして倒れた。徳川幕府を倒す勤王の声は五代将軍綱吉の時代にあげられ、その声は社会の底を流れて、ついに九代将軍家重の時、尊王家竹内式部によって幕府を倒せの叫びはあげられた。式部はすぐ罰せられた。けれど続いて山県大弐、藤井右門の二人によって一層強く叫ばれた。二人共に刑場の露と消えてしまった。三人が倒れて事がすんだであろうか。彼ら三人の死は更に数十数百の式部や大弐や右門を生んだではないか。

弱そうで強い者は殉教者である。一人のキリストを十字架にかけて安心したユダは、その後に幾億のキリストが生まれることを知らなかった。偉大なる天才、キリストや釈迦や親鸞や日蓮を生む前に、民衆は天才を造るために目覚めねばならぬ。否、より大きな殉教者をつくる前に、私たちはまず殉教者でなくてはならぬ。正義のために討死しなくてはならぬ。私の妹たちよ、汝らを誘惑し、汝を力によって弄ばんとする男と戦え。汝の肉が力によって汚される前に、汝らは清く討死していなければならない。それは決して犬死ではない。その後にはより偉大な殉教者によって戦われるだろう。

私たちが悲哀のどん底に立った時、信仰（それは最上の愛の生活）によって救われ、民衆が悲痛のどん底に立った時、その悲痛が生む天才的な殉教者によって救われる。その昔、奴隷はリンカーンによって救われ、フランスが敵軍の兇暴にふみにじられようとした時、オルレアンの少女ジャンヌダークの天使のような現われによって救われた。

同胞よ、私たちは逆境や悲痛のどん底に立つことを恐れてはならない。私たちが逆境に立たせられることは、私たちに「目覚めよ」の警鐘《けいしょう》を聞かされるのだ。私たちが苦しさを徹底的に耐え忍ぶところに、私たちの光明は見出され、そして、それがひいては人生を美化し浄化する強い礎《いしずえ》となるのだ。

私たちは教師であり、看護婦であり、農夫であり、実業家である前に、まず人でなければならぬ。父であり、母である前に、人でなければならぬ。私はただ人間であったらいい。人間たらんとする前には自覚を要する。そして、自覚は信仰を生む。信仰は人生全体である。信仰は愛である。愛は人生全体である。私たちの信仰は酒の中に生まれない。歓楽の中には出て来ない。悲哀のどん底に、煩悶の唯中に、涙のその中に生まれる。

第三章　清く生きようとする願い

毎夜のようにまんまるい月が秋の空に浮かぶ
あの全ての汚さをもたない月に向かっては自ら心の澄むをおぼえる
私の心は今　歓喜に燃えている
読書に飽いだ頭をひっさげて　運動場を逍遥している
永久に神秘そのものの姿である鎮守の森を二間ばかり月は離れている
私は魂の底で笑っている
月も私の顔を見て笑っている
月は笑うのでもない　泣くのでもない
ただ私の心が笑うのである
私は永久に笑っていたい
そしたら月も永久に笑っているだろう
あの月を見て泣いている人もあろう
あの月を見て笑っている人もあろう
しかも月そのものには悲しみもなければ嬉しみもない
全ての物皆を笑った心で見たい
そして全ての人に笑った月を拝ませたい

一　無限の世界

　日暮方の町（広島市）を眺めていますと、たくさんの人が通ります。貧しそうな人、富んだ人、学生やら、着飾った若い女やら、車を押す女やら、職工や車屋や、自転車乗りや、魚売りや、ガラガラ雑多な音を立てて通ります。チラチラ目に入る人たちがみな懐《なつか》しい気がします。皆、みな、一つずつ願いをもってせっせと寒い暮れの町を急いでいる。皆なにかの願いをもって働いている。あの姿を見ている私には一人の悪人も存在しない。「あのままでいい、あのままでいい」と涙ながらに抱きたもう慈悲のみ親の温きみ心が涙ぐまれます。

　あの人たちと同様に、草深い山の中に住み、誇るべき何物もない私たちは、一生涯、有名でもない、楽にもない、華やかにもない。けれど、掘れ、掘れ、そこで、霊《たましい》の世界を。掘れど掘れどつきぬ深さは霊の世界である。たとえ苦であろうとも、涙であろうとも、無限に広い精神生活にお入りなさいませ。

　そこには火にも焼けぬ、金でも買えぬ、正宗の名刀も切ることの出来ぬ、金剛の確かさを持った絶対自由の世界がございます。大愛を信じ、大悲を信ずる者には、この無限の世界が与えられます。如何に修養が出来た人だとて、地上を足の離れぬ限り、苦しい時には苦しいのです。悲しい時には悲しいのです。腹が立つ時にはどうしたって仕方がないのです。けれどもそのままを本願の船に乗せるのです（否、乗せられているのです）。

私は何という恵まれた人間でしょうか、実を申せば一日起きて働いている間、忘れている時がないほどです。と言って、心に何の重荷もありません。怠ける心が起きて来ます。「おお、このずるい怠け者がそのままに」と思わせられると、悲しい心がそのままに違った心になられます。苦しい時、情けない時、馬鹿にされた時、恥をかいた時、私の心はそのままに苦しみもし、悲しみもしますけれど、そのままの中に、ゴム鞠《まり》を押さえたように、ウンと力を出して下さるお光をどうしましょう。幸せな日、物事の面白い日にはことさらです、淋しい日にはなおさらです。

広島に居て朝に夕に私の周りは何事につけ喜ばせずにはおかないのです。こんなに続く私の喜びが明日からは消えるかも知れぬ。けれど、このうるんだ温かい心の歓喜の消えた空っぽの心をいただいて苦しむ日には、「ああ、この空虚の心をそのままに」と喜ばせて頂くことでしょう。

悪なればこそ救いがある。迷えばこそ救いがいる。腹が立てばこそ救いがいる。冷たい欲がおこればこそ救いがある。悲しければこそ救いがある。善は救われなくても善なのだ。正しい者は救われなくても正しいのだぞ。悪なればこその救いだぞ。「私は善人だ、私は正しい。私は迷っていない」と誰が言えようぞ！

今！　今！　今こそ救いを信じよ。敢《あ》えて言う。

本願力に乗托《じょうたく》せることを信じよ。

本願力に一切をあげて飛び乗れよ。

人間はいいかげんの所で、もう一度自分の心を見つめたがいい。寝間静かなる所、暗がりの何かしら心細さはないか。誰に頼みようもない苦悶はないか。人に向かってはどうでも言えよう。欺《あざむ》くことの出来ぬ自分の心を何とする。ほんとに何の苦もない人もあろう。けれどそれは本物ではない。無自覚ののんきなのだ。続きましたら御けっこう。否、続くかも知れませぬ。けれどそれは恐ろしい、大変です。

ささ、目を覚ませたまえ。

二　清く生きようとする願い

清くなろうとする願いを失ったほど哀れなことはない。否、むしろ私は悲痛すら感ずる。

若い同胞よ、どうぞどうぞ固い固い生命の殻を作ってくれるな。中年を過ぎた人間たちが、長い間の無反省な生き方のために、自然に悪を嫌う心が麻痺《まひ》し、善を求める心のうすらいで、その日その日を習慣と因襲に引きずられて生きているのを見ると、堪えがたい悲痛をおぼえる。大きな罪悪を犯した者でも、たとえ社会的に見捨てられた者でも、皆、清くなりたいという願いを捨ててはならぬ。清くなりたい願いを失わぬ以上、その前途は祝福されてある。

私たちは力いっぱい高く、力いっぱい清いところに心を遊ばせたい。できるだけ、一時間より二時間、一日より二日、できることなら常に、清い清いところに心を跳躍させたい。

もっと高く、もっと高く、もっと清く、聖なる天上に心を遊ばせたい。私たちに何ほどの善の実行が出来ていないことにも、何ほどの実行されていないことにも、かかわりない清い尊い想像に私自身を生かさねばなりません。想像力の及ぶかぎり、できる出来ないにかかわらず、極楽そのままの清さの中に、私の心を遊歩させねばなりませぬ。霊《たましい》の固くなった者にはそれが出来ない。

心の内に開けて来る浄土、輝いて下さるお光は、私のこうした聖なる願いの深みゆくと共に、一層はっきりと拝せられるように思われる。

浄土は善悪からはなれてあるのではない。悪人正機のお救いということを善悪とはなれて別なところにあるとすれば、それはもう救いではなくて悪魔の声だ。

「悪人ほどかわいい」ということは、悪をせよということではない。

「悪人ほどかわいい」ということが、悪の奨励であるならば、大悲のみ親のみ心ではなくて、悪にさそう悪魔の呪いである。

「私たちの善には毒が雑《まじ》る」ということは、「だから、お前は悪をせよ」ということではない。私たちのすることは一切、善か悪かにわけられる。私たちはそれを恐れねばならぬ。善と悪に裁判されることを恐れないものに、どうしてお救いが有難かろう。真宗の信者は、あまりにこの恐れから遠ざかっている。

悪を恐れる心なしに信心にこりかたまろうとする。そして「信心の手渡し」と称する末の末の問題を追って、自分の心を説教者に合わせようとする。ここに彼等の堕落がある。み親は決して、善悪をはなれて私を救って下さるのではない。善悪に裁かれる私、重い重い悪の罪のために泣かねばならぬ私、罪に服せねばならぬ私を、大悲の力によってとびこえさせて下さるのだ。

重ねて言う。救いは裁きから（即ち善悪から）はなれてあるのではない。善悪をとびこえさせて下さるのだ、私の罪を代わって受けて下さるのだ。私たちはどこまでも善を求めねばならぬ。どこまでも悪をおそれねばならぬ。

『歎異抄』に、

「まことに如来の御恩といふことをば沙汰なくして我も人も善悪《よしあし》といふことをのみ申しあへり　聖人の仰には、『善悪の二つ総じてもて存知せざるなり　その故は、如来の御心に善しと思召すほどに知り徹したらばこそ善きを知りたるにてもあらめ、如来の悪しと思召す程に知り徹したらばこそ悪しさを知りたるにてもあらめど　煩悩具足の凡夫・火宅無常の世界は万《よろず》の事みなもてそらごと・たわごと・真実あること無きに、ただ念仏のみぞまことにて在します』とこそ仰は候ひしか……」

（島地二三―一三、西八五三、東六四〇）

と親鸞様の御心が出ています。

自分のこころに、我欲を中心にして他人のすることを見て「あれがいい、これが悪い」と裁きあっています。その醜い様を「よしあしといふことをのみ申しあへり」とお言いになっているのでしょう。私たちの智慧で「あの人がいい、この人が悪い」ということは正しくわかるものではない。だからこそ、聖人の仰せに「善悪のふたつ総じてもて存知せざるなり」とあるのでしょう。

自分の心にふり返って自分の心のきたない汚れていることには泣いたこともない者が、他人ばかりを見て善いとか悪いとか言っているさまは、私ですら泣ける材料です。

私たちは、朝に昼に夕に、我が心を省みねばなりませぬ。

そうして何時までも若々しい霊《たましい》に生きねばなりませぬ。

三　虚栄の悪魔

若い年ごろの女の大抵は「百姓は嫌いです」と自慢そうに言っている。この一言でだいたい今の時代が知られてくる。この一言にどんな悪魔が入っているかを考えて下さい。

女たちの心の中で、表面の理由は何であっても、言うでしょう。

「体が辛いから……」

「勉強しても、何の役にも立たぬから……」

「虚栄が満足されないから」

「奇麗にしていられないから」

あさはかな、この心の底よ！　人間の求めている幸福、真の幸福はそんなところには無いぞ。

体が辛い……それは怠けたいからだ。勉強は鼻の先にぶら下げる為ではないぞ。結婚は虚栄満足のためではないぞ。皆悪魔の声だ。あなたの腹の中に巣くう悪魔の声だ。あなたはお茶も習ったろう。お花も知っていよう。高等女学校も卒業したでしょう。けれどそのために、百姓の妻になった時、木樵《きこ》りの妻になった時、そして全てあなたが見て以て賤しとし、嫌だと思う職業を持っている男の妻となった時、教育のない女たちよりも、妻としてのあなたが立派でないならば、私はあなたの受けた教育を疑います。教育は、人間的活動の根本的知識を得る手段であり、人格を造る方法です。もし教育が世のいわゆる奥様を造ることにあるならば、教育は受けなくてもいいと思います。教育は労働を厭《いと》うことを教えたでしょうか。虚偽の幸福を求めることを教えたでしょうか。虚栄のあなたを目的としたでしょうか。

もしあなたに真の教育があるならば、貧しき者を富ませ、愛に飢えた者を飽かせ、悲しき者を救い、悪しき者を善に移らせる力があるはずです。乃木将軍の夫人静子様のように、木村重成の妻のように、北政所のように、鮑宣《ほうせん》の妻少君のように、あなたの生命が本当の教育を受けているならば、あなたは本当の愛の体験者として生きねばなりません。でないならば、あなたの受けた教育は、あなたの運命を正しく育てないで、悪魔の呪いがひそんでいます。今の内に悪魔を見出した方は追い払いなさい。悪魔のいる間、たとえあなたのお顔が美しく、財産も学問も地位もある人の所に嫁入っても、あなたの幸福はありません。悪魔を追い出して、赤裸々なあなたにおなりなさい。愛を根本に立てた生活、犠牲を出発点にしたあなたの生活のみが、本当の生活です。時によったら、タンスの着物一枚残らず売っても、心から感謝し、病める夫と、若き子を育てるためには、帯紐《おびひも》とかず、夜を昼に継いで働くことさえ心からありがたいと思うあなたが見出せた時、あなたはほんとの幸福者でございます。

虚栄という悪魔は女子ばかりの持ち物ではない。もし人生から虚栄の悪魔を追い出したら如何に真面目なものになるだろう。

金持ちになりたい、学者になりたい、高官になりたい、それ等がもし自分の虚栄欲を満足させたいのであるならば、学者になったことに、高官になったことに、金満家になったことに、どれだけの価値があろうぞ。そうでないと言うことをやめよ。米国に渡って金をつかんで来た者が日本に帰って何を第一にするか。華美をつくした宴会、金に飽かした普請《ふしん》がその仕事の全部ではないか。金の波が社会をうずまく時、天下の青年はどこに走ったか。中学卒業者の志望は実業界に集まったではないか。

金持ちらしい風、賢そうな風、信仰家らしい風、道徳家らしい風、「らしい風」をしている者があまりに多い。私もまたその一人だと思う時、堪え難い淋しい心になってしまう。無い袖を振って見たい私たち、腐れた心に蓋《ふた》をして一時でも過ごしたい、人に知られないようにゴマ化そうと思う私たちの生活は、見つめれば見つめるだけ、どんなに悲しい一生でしょうか。

ある所に昔から床屋を勤めた金満家がありました。三、四年前から大普請が始まって、それはそれは大きな家が出来ました。ところが近頃になって急に土蔵を売り、造作のまだ整わぬ家をも売りに出して、家を畳んで広島に出られました。人々は口々に笑いました。けれど私はその御主人に感心しました。人の話では、数万という負債が出来たとか、それも御主人の計画の的外れになったものが原因なのです。普請を始められた時には、もちろんそんな事情はなかったのに、途中から出来た事です。そんな負債の出来た時、一時の虚栄のために、小細工をするかわりに、思い切って他人の批評も何も気におかないで、あんな処置をお取りになったことを誠に賢明な仕方だと思います。笑っている人たちが賢いでしょうか。笑われる者が優れているでしょうか。

虚栄のために、百円の借金で、ゴマ化しついでは二百円、三百円、そしてとうとうどうにも出来なくなるのだ。しかもその間、悪い夢に襲われたように苦しまねばなりません。きっと身を亡ぼす者は、虚栄という悪魔につかれた人たちです。濃い化粧に自分の美しさを誇ろうとする女に、何で生命の光が見出せましょう。金で買った位や袈裟《けさ》を誇ろうとする僧侶に、何で仏の愛が知れましょう。

運動会の為に物置が乱れて汚くなりました。挨《ほこり》と反古《ほご》と炭と木切れと机と種々な道具で足を入れるところもないほど穢《きたな》くなっていました。子供たちが一切、中にあるものを取り出して、塵や埃を集めて出したら、小山のようになりました。それには火をつけて焼き、中に入れる物は整然と詰めたので、半日、時間はかかったけれど、気持ちのいい物置になりました。

人の心もこの通りだと私はつくづく感じました。室の外から見た時、その室内の汚れは見えて来ません。掃除は室の外の壁を美しく飾ることでしょうか。内の汚れを除くことでしょうか。たとえ外は如何に美しくても、その中が乱れている時、私たちは満足出来るでしょうか。馬鹿げたほど単純な私の譬《たとえ》です。

けれど、私たちの実際を見つめる時「汚れたる物置」の名がふさわしいではありませんか。我を忘れて、来る日来る日を暮らしている時、私たちはただ壁を美しく塗りかえることにのみ心を奪われて、汚れた心の中をのぞき、室の中を整理することを忘れてはいませんでしょうか。美しく見える客間でも、額の裏をご覧下さい。畳の下をごらん下さい。きっと汚れているでしょう。心の掃除をせねばなりません。八万四千の蛆《うじ》虫をうようよとわかしている心の中を、虚栄の衣服と顔色と言葉とをもって包み、その上に紅白粉《おしろい》をつけて得々としているのが私たちではありませんか。

孔という孔、口と言わず目と言わず、全ての孔から言いようのない臭気を出しているとは何という醜さでございましょうか。孔からは蛆がはい出しても、どうにか胡麻化《ごまか》して行こうとする人たちの内で、私はその心の大掃除をなさるあなたの生活の幸福が思われます。

あなたのお顔の墨が見えないように、心の墨も見えにくい。あなたの生命を洗わんがために、光明のお指揮《さしず》によって、そして世の中の多くの目覚めたる方によって、あなたの生命の掃除をお励み下さいませ。

虚栄の欲は私たちの魂に強い悪魔として食い入って、追い出すことは困難です。けれど私たちの苦しみはこの悪魔のためなのです。この悪魔に忠実にしている間、私の魂は苦しまねばなりません。そして階段を上るように、段々と物足りなさと罪悪とが増して行きます。とうとう私が腐れ果てた時、悪魔は凄い笑顔をつくります。私たちがもし離れにくい悪魔を追い出して、真実の私になった時、そこには、醜い、臭気の鼻をつく私を、赤裸々に見て泣く涙の私が見出せるでしょう。その時、新生の誕生です。

四　縛るもの

人は家があれば家に縛られます。田があれば田に、金があれば金に、親があれば親に、子があれば子に、妻があれば妻に、夫があれば夫に、学問があれば学問に、主義があれば主義に、思想があれば思想に、兄弟も、友人も、牛も馬も、犬も猫も、地位も名誉も、一切私の周囲を有形無形にとりまく全てのものは一つとして私を縛らぬものはありません。だからこの縛られているることからのがれることを教えないものは、何もかも「そらごとたわごと」の仲間でありますす。言いかえると、念仏をぬきにしたなら何事も迷いであります。

なんぼ、朝から晩まで働くことを教えても、又それを実行して汗まみれになって暗い内から暗くなるまで働いても、それは自分の欲得から出ることで、やはり迷った者の迷事にすぎませぬ。学問してもそれは迷いの縛りを多くしたので、そらごとたわごとの一つであります。

人間はこの自分を縛りあげることしか考えませぬ。自分を縛りあげる綱を毎日作っては自分をしばっています。家、田、金、親子、妻、夫、学問、主義、思想、兄弟、友人、牛、馬、犬、猫、地位、名誉、衣服、食物……それらの全てが私の魂をしばりあげる綱であります。この魂をしばりあげる綱について研究し、宣伝し、実行している一切もまた迷いであります。阿弥陀如来は、この迷いの綱を切って、今度の往生においては、何にも縛られない仏にしてやろうと仰せられます。だから念仏を外《ほか》にしては私は何にも何の力も認めませぬ。

世の中は随分とこみ入って来ましたけれど、こみ入って来たということは価値が出て来たということではありません。人間の少ないずっと昔は、山に行って山の幸を、海に行って海の幸を得て、それで暮らして行けたのです。その内に人間が増して来ると、田を作ったり畑を耕したりして来ました。そして仕事が段々と分かれて、漁師の魚と百姓の米を取りかえていました。それでは面倒だから、貝を拾ってお金にしたり、皮を切って銭にしています。それがとうとう今日のお金に変わって来たと言われます。お金なども無くてすめばその方が結構です。

あんなものを造らねばならなくなって来たのは、人間が増えて面倒になったからです。今となっては使わずに暮らすことは出来ないから、お金を得るために働かねばならなくなって来ました。歩いていた、馬に乗る、馬車に乗る、進んで、汽車、自動車、電車と、だんだんに早く体を運ぶことが考えられます。けれども今の私たちは、それをあたりまえに思い、まだその遅いのをやかましく言いたい気にさえなります。又見方を変えてみれば、要するに忙しくなって来たのです。活動が烈しくなって来たのです。そうしてそれが人間の幸福ということには更に力になっていません。

如何に学問が進んでも、自動車がこの村でさえ毎日五十台数え得るようになっても、情の世界にはちっとも変化はありません。人間の涙の数は一滴も減ってはいません。苦はちっとも少なくなっていません。かえって苦悩は増しているかも知れません。情の世界だけは、博士でも乞食でも長者でも一文不知の姥《うば》でも、同じです。子が死んだら誰でも泣きます。

東本願寺法主句仏上人、

「幾度か我、我が娘、政子の死を言う。我は政子の父なるものを。許させ給え……」

「政子の呼吸は漸次切迫して、その花顔は……人は政子を美しと言えり。我、如何ばかり之を喜びしぞ……見るに忍びざるまで凋落《ちょうらく》せり。かつては父よと呼びしその朱唇《くちびる》も、ただわけもなくおののくのみ。呼び馴れし我が名も呼ばでおののくは。ああ、政子もついに見得たるか。父と住むべき彼の国をと、我も流石に泣きにしが……」（大谷光演『法悦の一境』）

上人の人間的なる、読む者も自《おのずか》ら涙が出ます。貴賤貧富によって情にかわりがないように、昔悲しかったことは今も悲しく、昔うれしかったことは今でもうれしい、情そのものは古今通じて同じであります。

それはそのはずで、簡単が複雑になったとて、それはやっぱり迷いを複雑にし、迷いに迷いを加えただけですから、人間が少ない時は、小作争議も労働運動もないし、社会学などを学ぶ必要はないのです。学問すれば何でもわかったように思う人など哀れなものです。いくら心理学が研究されても「会うて別れがなけりゃよい」という愛別離苦にはビタ一文の関係はありませぬ。

要するに念仏を離れたら一切のことは「そらごとたわごと」で迷いであります。蓮如上人は大胆に、「それ八万の法蔵をしるというとも、後世をしらざる人を愚者とす。たとい一文不知の尼入道なりというとも、後世をしるを智者とすといえり」と言いきられました。

南無阿弥陀仏の名号は利剣であります。一切、迷いの綱《つな》を切って私を彼の安養世界に往生させて下さいます。

「六道にひく業障の綱を切る剣なりけり　弥陀の名号」

だから、弥陀の本願力に救われて行くことを信じさせられて、不退の位についている者のみの生活が真実の生活で、その他の者の生活は、学者であろうが、大臣だろうが、僧侶だろうが、道徳家であろうが、皆迷いの生活、虚偽の生活である。又弥陀の救いを信じない宗教は、キリスト教も、回教も、皆、偽宗教である。仏教でさえ弥陀の救いを除いたら単なる哲学であり、釈迦から弥陀の教えを除いたら釈迦は単なる哲学者である。法然聖人は『一切経』を五度読まれても、もし弥陀の本願を信じられねば地獄行きである。かくて誰も弥陀の本願を信ぜずに暮らす者の生活は、ひっくるめて迷いの生活、虚偽の生活、地獄行きの生活、愚者の生活である。

五　全て生命ある者よ

若きその昔は働きもしたであろう。考えもあったろう。けれど今はもう自分の身体さえ自由にならない、老衰して世の棄人《すてびと》にされた時、花も楽しむに足らず、蝶も目にとまらず、育てた子供にまでいらない者扱いされる時、その淋しさ悲しさを救う者は誰だろう。全ての希望も誇りも快楽も無くなった消えゆく寂《さび》しみ、無常迅速の悲哀の前に、地上の全てが彼を救うことが出来ようか。大愛のみ親、呼んで曰く「我汝を救う」と。

彼は人を殺した。彼は死刑に処せらるべき身の上である。彼を、死という脅威を恐れ、恐ろしき罪に泣いた彼を救う道は、成功熱をあおってやることだろうか。勤倹貯蓄を言ってやることだろうか。勉学を奨めることだろうか。何も間にあわない。これでも彼は救われねばならぬ。彼が救われなかったらどうしよう。地上に住む誰一人でも彼の二の舞はせぬと誓われようぞ。彼は救われねばならぬ。その彼を救う愛の主は誰ぞ。天に声あり「我汝を救う」と。

彼は狂気者だ。見ただけでも言いようのない悲しさ、淋しさに胸を打たれる。全ての因果を一身に受けて、祈ることも念ずることも、否、人間として暮らすことさえ出来ない彼が、いいえいえ、その彼こそ第一に愛にもれてもよかろうか。そうした彼の上にさえ及んでいる愛、その彼を抱いて泣いている愛の持ち主がなくてよかろうか。「衆生の苦悩は我が苦悩なり」と涙の主は誰ぞ。大愛のみ親は曰く「我汝を救う」と。

若い者が夜の間も惜しんで勉強する。それもいいことだ。学資のある者、頭脳のいい者が、大きな理想を抱いて努力することもいいことだ。せっせと働いて積もる財産を見て喜ぶこともいいことだ。けれど学問することも、財産を殖《ふや》すことも、働くことも、これ自身が決して第一義のものではない。人生の第一義は、最も急な最も深い欲求は、自分を知ることだ。

自分とは何か。答えて言うだろう、人だと。

人とは何か。

私はしばらく人とは何かの問題を同胞たちに捧げよう。

迷える者！　そは釈尊によって呼ばれたる私の名である。

救わるべき者！　そは聖親鸞によって叫ばれたる私の名である。

迷える者のなすことは、たとえ万巻の書を読もうとも、大山《だいせん》の如き富を積もうとも、位人《くらいじん》臣《しん》の栄を極めようとも「万事そらごとたわごと信《まこと》あることなし」である。

巡礼した鶴は、親を知らないが故に迷い、母親の手にありながら、親と知らないが故に泣いたのだ。全て生命ある者は、親を探ねて六道輪廻の旅に出ること、ここに幾千劫、しかして今、地上という祭壇に出でて、目に明らかに見えないけれど、大愛のみ声はあざやかに「我汝を救う」と耳に入った。荘厳に飾られたる天地の全ての恵みを受けて大愛のみ親を認識した。何というううれしい人生だろう。

学問も、富も、名誉も、全てそれは第一義ではないと言った。地上に於て出来たそんなものが何で我が中心生命だろうぞ。

一億長者、Y氏が兇漢《きょうかん》のためにたおれた時、その後に何が残ったか。一生の内に五十円の寄附すらしなかったこと、骨肉が互いに食いあったこと等、世の中の汚い悪口と、醜い死骸と、一億の財産とではないか。しかも彼を葬る為に一坪の土があったら上等ではないか。一億円長者に一代でなることなど、どうしても立派な道ばかり行ってできるものではない。「チュウチュウと歎き悲しむ声聞けば、鼠の地獄、猫の極楽」という歌のように、商人など格別にもうける人などのしていることは、一方高く売れば買った方はどうしても泣いているのだ。財産はこれ我がものではないのだ。世界共有の物なのだ。ただそれを一時あずかっているのだ。

如何なる長者も、如何なる貧しき者も、食うところは三椀、寝る所は一畳ではないか。万人の内、食う物がなくて飢え死した者があろうか。食は飢えをしのげば足り、衣服は寒さを防げば満足し、住居は雨をしのげば感謝すればいいではないか。物質に対する腹のどん底をそこにおくのだ。もし業報によって持つべくゆるされたものなれば、赦された気持ちで所有《もっ》てゆくのだ。

今の時代は物質を中心に立ててゆく世の中だ。人間の心の背骨は愛でも信仰でも芸術でもない。ただ如何にして金を得んかが問題の中心である。けれど、そうした世界は行きづまった。皆がその苦しさを味わわねばならなくなった。そして再び生命の世界は開けて来た。「日本文化の先駆者親鸞の叫び」「日蓮と親鸞の生命道を活かさねば日本の今は救われない」との叫びが生まれて来た。

新しき時代の人間は、もう古い物質崇拝や、愚にもつかない権勢欲などを中心にして動くことを恥じねばならぬ。どこまでも自己の生命が出発点でなければならぬ。敬虔に、尊い祈りに、深い懺悔《さんげ》にわななく霊《たましい》は、きっと「我汝を救う」というみ親を認識することができる。

六 決定

死

死は人のまぬかるべからざる運命である。いかに西洋の系統組織の整然たる哲学、科学、倫理、何をもってするも一歩も立ち入ることを許さざる人の運命である。世の浅薄者流は言う。「人は生まれ、そして死する。死の後に何もない。この体が元素にかえるのみだ」。一番都合のいい、早わかりのする話である。けれども、その浅薄者流の見る人生はあまりに表面的である。深い魂の世界には一歩も入ることは出来ぬ。

生きることを知って死ぬることを知らざる者、それは又、真に生きることをも知らざる者である。母の胎内より出でてオギャァの声をあげた時、「生きる!」の宣言をする。天上天下唯我独尊の強い宣言。けれどもこの「生きる！」の強い声にはすぐその裏に死ぬるという強い運命が裏づけられてあった。本当に生きようとする者は、生に裏づけられたる死の事実を見る。

種々なる説や、色々な学問が、どんどん通って行く。世界歴史あって数千年、色々なる死の説が、死を言う者を、笑って通り、馬鹿めて通り、讃めて通り、賛成して通った。その後に一人残った我々の魂は、深く深く生命の奥にくい入って、死に対する本当の解決を得ようとする。

西暦一千八百二十一年五月五日、彼の欧州の天地に風をおこし、雲をよび、草木まで靡《なび》かせたナポレオンの魂はセントヘレナから彼の世へ飛んだ。英雄ナポレオンは死を考えなかったか。

その病の床にまねきしモントローン将軍に告げて曰く「我は已に我が務《つとめ》を遂げて今死せんとす。大将よ、卿も亦我が如く死せよ。……帝位、富貴、功名に誘惑せられて、静かに人生の帰趣を思う能わざりき。されど心裡常に信仰の志あり。……思うに上帝は我が病をいやすを欲したまわざるべし」と。これを聞いた医者アントマルモーは英雄の胸中にも死に対する考えあるをひそかに冷笑した。ナポレオンは眼を怒らせて叱って曰く「医者は薬を与えればそれでよい。我は霊魂の不朽を信ず。汝輩《なんじ》の知るところではない」。

世界歴史の上に痛快な数頁を残したナポレオンすら、死を考え、死のかなたの世界に生きようとしたではないか。

更にかえって我が歴史を見る。日本歴史のあるかぎり、忠臣の誉れを永えに残した楠木正成公。死の解決はなかったか。大楠公が討死の覚悟して朝敵足利尊氏と最後の合戦をした湊川《みなとがわ》の戦。その死する前一日、広厳寺の明極禅師を訪《おとな》い、死生問題の根本的解決を求めた。その問答に曰く、

「生死交謝時如何」

「両頭倶《とも》に裁断すれば　一剣天に倚《よ》って寒し」

「落処作麼生《そもさん》」

禅師威を振るうて一喝す。正成公起立して三拝すれば全身に汗が流れる。

もとより禅の言う所、我の解するところにあらざれども、正成公にして死の解決があった。その自刃する時、七度人間に生まれて朝敵を滅すことを誓った信念は、けだしその根底をうかがうことが出来る。

同じく忠臣として修身教科書にのる平重盛公は如何。

弥陀如来四十八願にかたどりて、四十八体の仏をその居室に安置し、四十八人の少女に一燈を捧げさせて、「心の闇の深きをば、燈籠《とうろう》の火こそ照すなれ、弥陀の誓いをたのむ身は、照さぬ所はなかりけり」と歌わしめたという。

徳川家康の念仏の子であったことは名高いこと。

かの白隠禅師が死の歌を作り、大死を訓《おし》えたる中に言う。

「若い衆や死ぬがいやなら今死にやれ　一たび死ねばもう死なぬぞや
口はきけどひとたび死なぬ侍は　まさかの時に逃げつかくれつ
臍《へそ》の底で一たび死んだ男には　真田が鎗もはも立たぬなり
何事も皆捨てて死んで見よ　閻魔も鬼もぎゃふんとするぞ」

ああ、死を知らざる者よ。死に徹せざる者よ。死を考えざる者よ。死を怖れざる者よ。何故に大死一番、一度死を考え、死にまどい、死を疑い、死に徹底して、しかる後、大死一番しないのだ。

死を考えざる者、死の刹那に至って死を怖れ、後悔するも何の益があろう。決定《けつじょう》。決定。死の問題を決定せよ。死の問題に明確なる答のない者に何で徹底した人生があろうぞ。大死一番、死の問題を決定せよ。誠に死に当面した時、日頃の大言壮語も役にたたぬ。頭につめこんだ知識も駄目、そもそも死の問題に明らかなる解答のないかぎり、今日一日の生活すら何等の意義がないはずだ。

真実を求める者よ。全ての空想と理論とを排して、本当に人生そのものを生活せんとする者よ。死はまぬかるべからざる事実である。浮世三分五厘で暮らし得る浅薄者流はしばらく捨ておき、真実の一道を求むる者よ、死の事実に明確なる答を得よ。

宿業

私たちは単なる運命論者ではない。

けれども人生の根本に頭をくい入れて深い解決を求める者である。

ある者は営々として一生を汗脂にまみれて働くもなお貧困である。それに対して、彼には知識が足らない、学問がなかったから、経済の頭がなかったから、との答を得る。一応は都合のいい、理にあった説明である。ある者は生まれながらにして病弱である。そこに養生が説かれる。一応は養生に意を用い、医薬を信じ、自分の不摂生を改めねばならぬ。早く親に別れた子供、子供に死なれた親、呪いあって暮らさねばならぬ夫婦、その他、生老病死《しょうろうびょうし》、愛別離苦《あいべつりく》、怨憎会苦《おんぞうえく》、求不得苦《ぐふとくく》、五蘊盛苦《ごうんじょうく》等にからまり彩られた地上苦は、経験論的な物質的な説明で満足するにはあまりに複雑であり、深刻である。

まことに人間苦は底知れぬ無智と、ほどききることの出来ぬ複雑とを以て、魂の周囲を取りまいている。単なる修養を説いて救うにはあまりに悲惨である。浅はかな慰めを語って諦めさすにはあまりに悲痛である。人の魂が本当に人生のこの深さに徹する時、そこに過去から現在に流れ来った、たった一人の傷ついた私のいたましい流れを見るであろう。

ここに十個の種子がある。何故に、一個は岩の上に、一個は砂の中に、一個は陰地に、一個は山辺に、一個は水辺に、一個は瘦地に、一個は肥地に、一個は金殿の園に、一個は埴生《はにゅう》の小屋の前に、一個は道ばたにおかれたのであろうか。修養が説かれ、諦めが教えられる前に、この事実の証明を与えられねばならない。

私は倫理哲学が言うところの生命の自由、意志の自由の学説に賛成する。けれども私の魂はその自由を根拠にしたところの宿業を必然に信じねばならぬ。譬をとって言うならば、今彼が貧乏で子沢山で、その上病気で困っているということは、今出来たことではない。若い間に働かなかったこと、あるいは働いても贅沢であったこと、働いても働いても生来貧しくて、どうしようもない、金のたまらなかったことが原因である。今の貧苦を救うためには若い間の彼の生活を救わねばならぬ。

今の彼は、彼の若かった時から流れて来た一日一日の生活の連続、即ち、業のあらわれである。私の今日は一言一行といえども過去の業を出ることは出来ない。善悪の二つ、みな善業、悪業の然らしめるところである。

然れば、何故に十個の種子は、それぞれ賢かったり、愚かであったり、強弱、美醜それぞれに根本的の差異をもって生まれ、しかもそれが違った十種の畑に播かれたか。神がもし造ったものならば神に不平を言わねばならぬ。天の仕業《しわざ》なれば天を恨まねばならぬ。ここに過去世について教えられねばならぬ。

「お前が岩の上におかれたのは、お前の過去世がそうさせたのだ。お前が金殿の園に生えたのは、お前の過去世の総勘定がそうなのだ。お前が他の誰とも同じでなくて、たった一人の相でいねばならぬことは、お前の過去世が誰とも違っていたからだ」

我が運命をあやつる神をも認めず、天をも言わず、どこまでも「我」一人の全責任である。我が責任でありながら、私は私の過去を救うことは出来ぬ。私の生まれ出た境遇と、私の生まれながら持っていた本質的な性格。この身上と性格とは如何ともすることが出来ぬ。その性格と境遇を生み出した過去世の業を如何ともすることは出来ない。私の魂は真に泣きました。魂の底からわなわなと震いました。

一語を吐けば蛇のように、一つ思えば悪魔のように、青い焔と紅蓮の烈火、氷のような冷たい青い波のうねり、それが私の心の全体であり、この心が大蛇（気味悪く青光る）のようにのそのそと匍《は》っているのが私の業でした。

蛇だ。まむしだ。悪魔だ。鬼だ。地獄必定《ひつじょう》。必堕無間《ひつだむけん》。極重悪人。如何なる言葉も拒むことの出来ぬ私であります。悪業に悪縁、それから悪果。悪果は悪業に、悪因に。悪業、悪因、悪縁、悪果、永《とこし》えに私は悲泣せねばなりませぬ。否、それさえ知らずに永劫迷うところでした。

俄然！　突然！　燦然としてお光は輝きました。否、光を見る目は開かれたのでありました。のそのそと匍う気味悪い大蛇は正体を現わしました。大蛇、我が業、ここに私の真の涙があります。

自分の魂の美しい方に何で救いがいりましょうぞ。

自分の魂の正体を見とどけない方に何で救済がいろうぞ。

兄姉よ。されど兄姉よ！

五濁悪世の泥水吸う者に清らかなる者があり得ようか。

決定して！　決定して！

大蛇は大蛇と決定して。

地獄行きは地獄行きと決定して。

厭離穢土

この世は穢土《えど》だ！

この世は暗黒だ！

この世は苦海だ！

この世は難度海《なんどかい》だ！

この世は無常だ！

私は一厘のかけひきもなく、何の誇張もなく、誰が何と言おうと、弱いと見られようと言いきってしまいます。はっきり言いきってしまいます。

穢いから穢土と言います。生きている者は、一皮はいだ時、見られた様ではないほどきたないありさまをしています。孔という孔からきれいなものを出していましょうか。絶世の美人、白粉をはがして下さい。二十四時間中にその手のふれる全てを知って下さい。人間の手は、きれいであるべき食事に使う手と、便所に使う手とを別に持ちませぬ。

肉体でもそれです。更にその心に至っては、美しく装った心の箱の蓋をとる時、八万四千の大小の悪魔がひそんでいます。この肉とこの魂とを持った私が、この地上にいる間、地上はけがれた所であります。

さらに死んだ者を見ます。地上は生きたものを除けばすべてが死体であります。骸骨であります。骸骨が、死体が累々として集っています。もし人の死体を食っていたら人は色を失うでしょう。魚のしがい、米のしがい、大根のしがい、牛のしがいが私の食事ではないか。羊のしがい、綿のしがい、麻のしがい、それが衣服ではないか。樹木のしがいを組み合わせて家を造る。かくて地上は生きた者の間を死体と骸骨をもって埋められています。そうして生きたものも間もない内に死体となり骸骨となります。

それは形の上のことであります。もし魂について見たならば更におそろしさを増します。魂の本願を忘れた人間が、ただわけもなく、右に左に忙しそうに動いています。どこから来て、どこに行くか。何のために生きているか。明確な答は一向出来ないでただ動いて疲れています。大地の上に足がつかず、どこからどこへとも知らず、動く本当の目的も知らない者は幽霊であります。自転車に乗った幽霊、大臣とか、博士とか、長者とか、百姓とか、教員とか、色々な幽霊が暗黒の中に動いています。幽霊は骸骨であります。生きていないのであります。何と動いてはいるが生きていない者の多いことでしょう。幽霊のいるところは暗黒であります。

人生は生まれては死に、生まれては死ぬる生死の苦海であります。怒濤逆巻く難度海であります。浮きつ沈みつしているだけで、岸の見つかりそうにもない、岸に泳ぎ着かれそうにもない荒海であります。愛欲の広海、生死の苦海、渡りきることの出来ぬ難度海であります。生まれて死せば泳いで渡ったと思っています。けれどもそれはただ波に流されてまわっていただけであります。

永劫私の魂はこの広海を出ることは出来ませぬ（世間とか、義理とか、何とか彼とか、そんなことからのがれて、自分をじっと見ての魂のささやきです）。島も見えぬ、火も見えぬ、救いも見えぬ、ただ山のような大波の中に、命からがらもがいているのが私でした。

けれども眼を一寸《ちょっと》移すと、難度海の中には無数の私のような人がやっぱり浮きつ沈みつして苦しんでいます。ただ当面に顔にかかる波を払い退けようとして苦しみながら。しかもなお悲惨の極みは、かくして浮きつ沈みつ苦しみながらも、隣人と隣人とが闘っているではありませんか。私もその闘いに加わっていました。親子でも、兄弟でも、夫婦でも、親類でも、近所でも、村、国、全ての社会、国と国、何でも彼でも争ったり戦ったりしないと一日もすまされないのが難度海であります。

どうしてもこの世界は嫌だ。
厭離穢土《おんりえど》、この世界は嫌だ。
嫌で嫌でならないままに、どうしても離れることの出来ないが故に更に嫌であり、絶望の涙があります。

「急げ人　弥陀のみ船の通う世に　乗りおくれなば　誰か渡さん」（聖徳太子）

無常

平気でいる人には何もない。平気でながめていたら何もない。平気で聞いていたら何を聞いてもあたりまえなことばかり。

「今この娑婆世界は耽玩《たんがん》すべきことなし、輪王の位も七宝久しからず。天上の楽も五衰早く来る。乃至有頂も輪廻期なし。況んや余の世人をや。事と願いと違い、楽と苦と倶《とも》なり。富める者未だ必ずしも寿《いのち》ながからず、寿ながきもの未だ必ずしも富まず、或いは昨《きのう》は富みて今は貧となり、あるいは朝《あした》に生れて暮《ゆうべ》には死しぬ。故に経には『出づる息は入る息を待

たず　入る息は出づる息を待たず』と。ただ眼前に楽しみ去りて哀しみ来るのみならず、亦命終る時に臨みて罪に随いて苦しみに堕つ」（『往生要集』）

ああ、不夜城のような電灯のまばゆい都会の表通りを、人は華に浮かれて通る時、町の裏には冷たい墓石、ものすごい月を浴びて青白く光る。

「夫《そ》れ、人間の浮生《ふしょう》なる相《そう》をつらつら観ずるに、凡《おおよ》そはかなきものはこの世の始中終《しちゅうじゅう》幻《まぼろし》の如くなる一期なり　……一生過ぎ易し、……我《われ》や先人《ひと》や先、今日とも知らず明日とも知らず、おくれ先だつ人は本の雫《しずく》・末の露よりも繁しといへり　されば、朝《あした》には紅顔ありて夕《ゆうべ》には白骨となれる身なり　既に無常の風来りぬれば則ち二つの眼たちまちに閉ぢ、一つの息ながく絶えぬれば、紅顔むなしく変じて桃李の装《よそおい》を失ひぬるときは、六親・眷族集りて歎き悲めども更にその甲斐あるべからず　……」（御文章）

（島地二九―六八、西一二〇三、東八四二）

平清盛や今いずこ、豊太閤、醍醐の花見に綺羅《きら》を飾りし人やいずこ、足利義政はいずこに、小野小町の美はいずこに、シーザーもなく、カントも死し、孔明もない。

『古今集』を繙《ひもと》いて見れば、

「ねても見ゆ　ねでも見えけり　大かたは　空蟬の世ぞ　夢にはありける」（紀友則）

「夢とこそ　見るべかりけれ　世の中に　うつつあるものと　思いける哉」（紀貫之）

「もみじ葉を　風にまかせて　見るよりも　はかなきものは　命なりけり」（大江千里）

「露をなど　仇なるものと思いけん　わが身も草に　おかぬばかりを」（藤原惟元）

人の世は露のしばらく草の葉にとどまるが如く、微かなる風にゆるがば玉の緒はたえぬものを。

「つひに行く道とはかねて聞きしかど　昨日今日とは思はざりしを」（業平朝臣）

美男子の典型として今も言いはやされる在原業平にして、死の将に来らんとするや、この歌を詠む。

風雲に乗じて位人臣の栄を極めた豊臣秀吉すら、死に向かっては、

「露と起き露と消えぬる人の世や　難波のことは夢の又夢」

と詠じて人生朝露のはかなさを言う。

「今日も人の死ぬる日にて候」

時計のセコンドの音につれて、世界のどこかに、一人、一人、又一人、刻々に死んで行く。

小河内支部の藤田米代、里子両法姉の御両親は四月の桜の真っ盛りに京都の本願寺に参拝せられた。哀れ御尊母は出でまして帰ります日はとこしえにないとは知らず、両法姉に送られて御本望を遂げられた。祖師の御尊影のある地とは言え、旅の仮寝の床の内より安養の世界に急がれた。亡き尊母の骸《むくろ》、お宅に着きたまい、気も狂乱な両姉がまだ夢心地にていますその夜、

父君には又も重き病の床に就かれて、医者よ薬よと力つくされし甲斐もなく、亡き妻君の後を追うて、ちょうど初七日の同じ時刻、み仏のみ国に往生されました。

わずか一週間の内に父と母とを失いたまいし法姉の心中を思う時、言葉も挨拶もたえはてて、出し得るものはただ念仏ばかり……この事実を味わわねばならなかった法姉達の前に、この悲痛の事実の前に何をもって行ったとて、何の権威や慰めがあろう。

死は事実である。万人に絶対平等に与えられる事実である。

かわいい子供の消えゆく玉の緒を我が命に代えても引きとめんとせし親、高等女学校を卒業せし花の蕾の嬢様の死によって世の中の一変せし親、我が身の死を目前に見て泣く病室の人、日毎日毎に聞く哀しき死によって生まれて出る地上の涙は、何時の世にとて枯れようぞ。

ああ、何ぞ決定せざる、無常の世に。

ああ、何ぞ決定して死を解決せざる。

大死一番、死を往生に更《か》えることによってのみ死の解決がある。死は輪廻の死で、往生は仏への誕生である。往生！　往生！　ここに人間最後の解決がある。

電光朝露の夢まぼろしの世に、無常を感ぜずして何故に道草を食う。

人の世は誰も皆、一歩もとどまることをゆるされず、一息一息が消えてゆく。百年を経ざるに、我が身も、親も子も兄弟も、隣人も皆、なき数に入るものを。

ああ淋しい。魂の底から淋しい。すべては皆消えてゆく。

我がなき後、名は残るとも何になる。

我がなき後、富は残るとも何になる。

我がなき後、世の文明は進むとも我に何の関係がある。

無常の世に、常住なるもの、末通りたるものの見つからない間、ああ、何を目的に生きて行く。

人よ、人よ、刻々に消えゆく無常に覚めよ。

無常とは一切万物の死である。

無常を思う時、魂は全てのいい加減な学問や事業や遊戯から覚めて、深く深く何かを探ろうとする。

無常の世に、あなたの魂は深く深く何かを探ねようとはしませぬか。

決定

宗教は死の解決であります。死を呑気に見ていられる者に、死を怖れざる者に、信仰の必要はありませぬ。信仰は罪の救いであります。特に弥陀宗は、親鸞教は、祈らず、願わず、頼らず、懺悔《さんげ》せぬままを、本願力一つによって罪のままを抱き取って仏にしようという宗教です。

罪を知らざる方、宿業の恐ろしさに泣かない方に用事はありませぬ。

この世界がこのままでよい方には宗教の必要はありませぬ。汚れた世界、罪の大地の上、それを私の力でどうすることも出来ないので、ただあの世の尊さに心ひかれるのです。厭離穢土と欣求《ごんぐ》浄土《じょうど》とは一枚紙の表と裏で、この世と未来と初めから両手に花の握りたい方には、信仰の門は開かれませぬ。

死をおそれ、宿業に泣き、この世に飽き、無常に魂のおののき震う人。その人のみ信仰の門には入れられます。

救われたい人。

助けてほしい人。

人生の目的のわからぬ人、そうしてその解決のほしい人。

その外の方はもっと行って、人生の本当を見て来ねばなりませぬ。

七　全てを赦せ

泉は涸れたか

人間よ、免《ゆる》しあえ。牙をむき、眼を怒らせて、血眼になって、智慧の全てを使って、肉を割《さ》き血をすすって暮らしているのが人生の本当だろうか。水の涸《か》れた沙漠に木は茂らない。愛の泉の涸れた人間に人間味はわからない。あなたはあなたの愛が涸れていることに気づかないか。今の様に不自然な利欲の世界に飽きのこない間、息づまる虚偽の生活に眼のつかない内は、あなたの愛の涸れていることに気づかないのだ。

目覚めて下さい。目覚めて下さい。ただ簡単です。

目覚めて下さい。私は今泣いています。

目覚めて下さい。

全てをゆるせ

赦《ゆる》せ、赦せ。悪人も、罪人も、愛、全てを赦す強い愛の前には救われる。赦すことは全ての者の開放である。赦す涙の中には善悪はない。赦せ、赦せ、無条件に赦せ。赦した者も、赦された者も、赦された愛、赦した愛でのみ救われるだろう。

「互いに呪いあい、争いあった二人でも、私たち二人は何という悪縁でしょうと、手を取って泣いたら、お互いに赦されると思います」

そうだ。長くもない一生涯に、血眼になって争うとは何という不幸だろうと、敵と敵が手をとったら、赦されないこともありますまい。赦すことは我を捨てるのである。我を棄ててより大きな自分を生かすのである。責める心には明らかに自分の小さい醜い殻がある。その殻を棄てて赦す心は、私の心を開いて、大きな自分と抱き合うのである。赦す心のその中にのみ、悪人も罪人も入られる温かさがある。氷のように冷たく、監獄のように厳しく、自分を固めてにらみ合っている者は、一方が赦さない以上、永遠に呪いを解かずに迷うだろう。もし私たちが苦しむなら、赦し得ない、全てを赦さない自分の心を抱いて泣こう。

天下の師範生よ　教育者よ

教育者諸君よ。師範生諸君よ。ルソーが「自然に帰れ」と言ってから、ペスタロッチが病める親なき子を育ててから、世界の幼き者は自由の天地に引き出されました。私たちは前途に栄光輝く幼き者の友として、彼等を無限の広野に導く人として生きていることは何という幸福でしょう。我が身にひしひしと迫って来る無言の霊感は、歓喜よりもむしろ恐れです。

大自然は恵みです。めぐみ（萌）です。温かい春の光のみ草木を萌《めぐま》せます。児童を自然にかえせ。それは彼等を教育者本位の型から出して、彼等を自由な温かい愛の園にかえらすのであります。彼等のあの天真な創造性を傷つけないで育て得る力は、愛に目覚めた私のみです。冷たい監督の目、骨を刺すような怒りの言葉、彼等を去勢して、人形にして、私の統《す》べくくりをつけた満足に甘んじている間、彼等幼き者は呪われています。

朝の空気は清らかです。信仰の感謝に胸の高鳴る私が、五十五名の幼き者の前に立った時、「全ては赦されてある」と彼等の健《すこ》やかな顔をながめた時、そこに悪人がいるでしょうか。「全ては赦されてある」、その私の愛のみが、彼等の真実の友であり、導きであり得る資格です。やかましい規則の前にこそ善い子供もいるでしょう。全てが赦されたその前には、可憐な一個の生命が自由に大きく育っています。ひねくれた心も、卑怯な心も、赦される愛の前にのみ開かれて来る。

さあさあ本気でと、それぞれの幼い生命が努力している時、何で鬼の目でねめつけられよう。荒《すさ》みきった冷たい教師の前に墓場が現われ、全てを赦す愛の泉の流れつきない教師の前には、天の楽園そのままの光明世界が現われる。

一人の人間が悪を犯した時、厳重な裁判の前には、彼の心は恐れと悔恨と罰に震いおののくばかりであった。彼が全てを赦された時、彼には奮励と感激とそして涙の外に何があったろうか。全ての教育者よ、幼き者の全てを赦せ。赦す涙のその中に一切の方法は生まれて来る。

弱い者は赦し得ない

赦すとは、私が心に病んで卑怯にも言い得ないのではない。強い私の全体が、呪う私から救われて、強い強い私の生命の平和を保つのだ。弱い女の口と強い男の口、どちらが激しい霜のような言葉を出すだろう。硬教育もいい、打つのもいい。けれどもそのあげられた鞭の内には温かい涙がなければならぬ。裏町の貧民窟を通る時、私を苦しめるものは、あののしり叫ぶ女の声である。赦されることのない彼等の子供は永遠に浮かばれない。

赦す者は強い。強い者のみが赦し得る。あなたは何も報酬を考えないで、全てを赦せ。彼はまだ目覚めない。彼は不幸なのだ。赦し得るあなたは目覚めない彼よりも幸せである。

八　囚人の叫び

何という悲しい言葉でしょう。「囚人の叫び！」

けれども私の「目覚めてくれ」という叫びは、昔の聖者たちの様に、身も心も浄化されて、曇りなき神聖な心に湧き出した神のみ告《つげ》ではなくて、汚れたる者、罪を犯せる者が、罪から来る罰を生まれたままの正しい心で受けながら、その罪に対する一切の責任を負って行こう、その恐ろしい報いからのがれようとすまいという、悲しい、しかし根強い、寂しいけれども、感謝の生活、その私自身に与えられた救いです。救いからわき上がる叫びです。

そうです。救い、感謝、そして告白、それが私の叫びです。私に何で人の道を啓示することが出来ましょうぞ。「俺は今悪人の全てが行くべき地獄に行っている。世の同胞たちよ、私の様になるな」。私は囚人の叫びだと申します。私が「目覚めてくれ」の叫びは、女神の言葉の様に神聖でもない、美しいものでもない。けれども、私の霊《たましい》が戦《おのの》きふるい、荒れ狂い、恐れ悲しみ、悩みもだえた末に来た、霊の平和光明から出て来た事実です。私の人生に暴風雨の様な破壊の後に来た平和です。静けさです。霊の実感です。

怠惰者《なまけもの》はその怠惰《なまけ》た罪を負うたがいい。無慈悲な者は無慈悲な罪を負うたがよい。それを避けようとするから迷うのだ。救われないのだ。私は私の罪を忠実に負って行かねばなりません。地獄があるなら行きもしましょう。たった一人なら一人でもよい。

人が信じてくれないなら、それでもよい。一人孤独を味わって行こう。人々よ、私の悪を裁いてくれ。冷たく罵《ののし》ってくれ。私は今、それを忠実に受けようとしている。もっともっと悪く言ってくれ。たとえ悪くなくてもいい。私を攻撃してくれ。私の親切をつくしてやった人間も、恩を受けた人間も……私が恩をきせた人はないが、形の上から見て……。教え子も、私を裏切って、砂を後ろ足で蹴りかけて、さっさと逃げてくれ。私は今それを待っている。それも私にとってはなくてはならぬことだ。私の苦しみ、そうだ、その度に私は苦しむだろう。けれどもその苦しみ、その暗がりをじっと見つめて、その中に私のたった一人の世界を見出される。私にとってはこれさえ感謝の一つなのだ。

罪に服した者の平和感謝、それは私のもっている幸福の全体です。私の叫びはそのどん底から湧いて来る。

私は七歳の夏、死が悲しかった。毎晩の様に泣いた。そして、苦しまないで仏の子となった。信心深き父と母とによって。今考えても涙ぐましいほど懐しい仏の子の生活を続けた。村人は神童だと言った。若死する子だと言った。道を歩く時、必ず仏への花をもち、口には念仏の声がたえなかった。けれども、私の霊《たましい》が偶像から開放され、人間として目覚めかけた時、十有余年間の仏は煙の様に消えた。言い様のない寂しさが続いた。

その後の私は、深い精進の私ではなくて、私の行いたいままを行った。燃える様な狂う様な内部からの欲求のままにまに、二年間の月日は去った。けれども、とうとう私にも私を再び静かに見ねばならぬ時が来た。私はじっと私の霊を見つめた。そして、熱い涙の幾月は続いた。頭に浮かぶものは何、「私は忠実《まじめ》に生きねばならぬ！」、私には、罪の裁きを受ける時が来た。内的革命に急ぐ時が来た。二年の月日は去った。そして、私は私の内に醜い私の内をいつわりおおせなかった。失ってしまわれぬ一物を見た。私は救われる外なかったのだ。私は暴風の様な過去に於て、又と二度得られないものを得て来た。

私たちは人を信じようとします。けれども信じている者も間もない内に裏切ってしまう。私を売ってしまう。裏切った者を憎まないまでには、如何に苦しい時が続いた事でしょう。

本日もある人が私を売って、私の友人に私を傷つけてくれたがために、私の友人が怒って、六尺もある長い手紙に、私の全てについて有ること無いことを書きつらね、私の不親切を責めて来たのを受け取りました。私はすぐペンを取って、用紙十枚、感謝にむせぶ胸の内を書いて送りました。多くの人間は、人のしたことの理由もきかず、背景も見ず、自分勝手な判断をして、陰でこそ言え、面と向かって言ってくれる人もないのに。私はこの友人の純な気性にいよいよ深く感じました。

「〇〇からも、先生に関する色々な噂や、悪いことの全てを聞きました。〇〇さんでさえ先生に対してはむしろ悪意の方と思う。そうだ、先生が信じている彼でさえ、全てを裏切ったと思います」などと、他人の中傷までしてありました。

私は「私を裏切り、私の悪を裁き、私についての世の誤解を、それらの人と共に言ってくれる人のために、最後まで尽くしてあげることも私にとっては有難いことです。私は今もそんなことを待っています。『人々よ、もっともっと私を悪く見てくれ。もっともっと誤解してくれ。そしてもっともっと悪罵し、鞭打ってくれ』と私の心は申します。全てが私には感謝です」と言っておきました。

けれどもその終わりには、「私の様に孤独な人間には、私の周囲の一人でも失いたくない。私たちは、如何なる人の中傷も策略も私たちの間を破ることが出来なかったことを喜びつつ、一緒に夕食を取ることを天は免すでしょうか」と書いておきました。やはり人間です。

——話は枝道にそれた——

囚人の叫び！　同胞よ、兄姉たちがもし清いもの美しいもの、そして、あなたの霊をなでさする様な、ねんねこ歌の様なものを得たいなら、あなたはそこら中にいっぱいおられるお大徳や学者の前に行った方がよい。甘い物がほしければ、俗悪小説や酒と女と狂乱の巷に走れ。

悲痛な囚人の叫びは救われた歓喜なのだ。

囚人ということにあなたが傷つけられるならば、小さい義理立てをやめて逃げてくれ。

私はその度毎に悲痛な幸福を感じて行こう。


（十月十日　夜）

第四章　人間性に立脚して

今日山に登る
北の方、中国山脈の主脈が屏風のように立つ
頂きには雪をいただく
南の方、瀬戸内海に汽船が走る
広島が見える
村が見える
何という壮大ぞ
何という厳粛ぞ
ああ大地よ
私をのせる大地よ
「あの谷々の間、海の岸
人間が裁きあって苦しみあって生きています
救ってやって下さい」
声を限りに叫びたい
私の胸は歓喜と厳粛でいっぱいになる
桜が散る
春はようやく老いてゆく

一　囚われたる者

旅にいると子供のことばかり気にかかる。親の事ばかり考える。町に出ると本屋ばかりが目につき、足は本屋ばかりに入る。村に帰ると村の色々な出来ごとが私を苦しめる。苦しんでいる人を救いたいともがく。そうして私は私の周囲に囚われてばかりいる。囚われた者の何という愉快だ。私はどうして何事でも平気でいられないのだろう。私の生命が深みへ入れば入るだけ、気になることばかり増して来る。悪魔につかれた者を見ると堪えがたくなるほど苦しい。

私は町に出て本屋にばかり囚えられる。

女が町に出た。呉服屋ばかりが彼女を囚える。

盗人が町を逃げる。巡査や交番や警察の方ばかりに気を注ぐ。

魚屋は、「魚屋さん」という声ばかりに、反古買いは反古に、商人は物価に、仲居はポチに、百姓は米に、車屋はお客に、いやどうも世間のあの複雑な様子は何という面白さだろうか。すべて一切、地上は囚われた者の生きん生きんとする悲壮でうずもっている。

私は何時も一切を捨てて隠遁したい願いが湧いて仕方がない。鍬《くわ》を一枚持ったままで、一生一言も言わないでじっと自分を見つめて生きたいと願うことが多い。そしてそんな気のする時、私はきっと一番はっきりみ親に抱かれている温かさが味わえる。私が一生懸命で話している時などよりは、どれだけほんとに自分の魂に輝きがあるか知れない。けれどこの私の願いは親の元にかえった時、一番よく曇る。親兄弟の愛が私を囚える。そして又別れた時、ほんとに親鸞様が私のあとから、「愛欲の広海に沈没《ちんもつ》し……悲しい哉」と言って私といっしょに泣いて下さるような気がする。

私が生きている間、私は愛に囚えられる。善悪に囚えられる、欲に囚えられる。生きたい！生きたい！　たたかれても、ふまれても、どうしても、立って、起きて、生きる。生きたい、生きたい、と奮いたてば立つだけ、より深い囚われの中に入る。因襲を飛びこえて生命のままに進むという若々しい願いが一年ごとに強くなる。囚えられれば囚えられるだけ深くなる。そして悲しさと嬉しさとが一層深くなる。

「悪性《あくしょう》さらにやめがたし　こころは蛇蝎《じゃかつ》のごとくなり
修善も雑毒《ぞうどく》なるゆえに　虚仮《こけ》の行とぞなづけたる」（『正像末和讃』）

こんなにまで囚われた者の涙の悲歌を歌われた親鸞様は、決して本願寺の中で高いところに威張ってはござらない。私といっしょに大地の上に額をあてて、み仏の前にあやまりはてておられるほんとの一個の人間である。

（島地一一―四〇、西六一七、東五〇八）

「大願海のうちには　煩悩のなみこそなかりけれ
弘誓《ぐぜい》の船にのりぬれば　大悲《だいひ》の風にまかせたり」（『帖外和讃』）（島地一一―四三）

親鸞様のように、囚われた者の悲しみの歌を歌う者であって初めて、大願海の弘誓の静けさが知られて来るのだろう。私が、

「超世の悲願きゝしより　われらは生死《しょうじ》の凡夫《ぼんぶ》かは
有漏《うろ》の穢身《えしん》はかはらねど　こころは浄土にあそぶなり」（同）（同）

と、ほんとに歌い得る時は、過ぎ去った昔の愛の懐しさに泣いている時である。蔓《つる》が身体に巻きついたように、飴《あめ》が歯についた時のように、脱し得ぬ囚われのもどかしさに泣いている時である。

身体に巻きついた蔓を、三本、五本切って見た。けれど一本切らない間に、五本、十本、そして無数の強い強い蔓が巻きついて来る。皆切るか、巻きつかれるか、その一つをとらねばな

らぬ。智慧がだんだん開けて来ると、切りつくせぬ何億千本の蔓が見えて来る。私は力もなくグッタリしてしまった。そして囚われたままが摂取された時、囚われた者の自由さが涙ぐまれた。

二　人間性に立脚して

悪いことをしないのは悪いことをする縁にふれないのです。縁にふれたら皆悪いことをします。

桜の木に太陽の光と水と土とを与えたら大きく成長します。それらの縁が都合よければよいほど大きくなって、八重の美しい花を咲かせます。縁にふれて出て来るものは決して梅でも椿でもなくて、要するに八重桜の花であります。桜の花が咲かないのはまだ縁にふれないからです。要するに桜から桜の花が出るだけです。

人間とは愛欲の海に溺れる者の別名です。愛欲に溺れたことのないという者は自分を正しい者として誇っています。けれどもそれは溺れる機会がないのです。縁のはたらきがなかったのです。私は縁にふれないために小さき自分を見て誇っている人よりも、人間性を赤裸々に味わって泣いている人の方をなつかしく思います。と言って悪の奨励ではない。

夜の町を歩きますと、誰もが美しく装って歩いています。心をも体をも。けれどそれらの人が皆、涙の半面、恥ずかしい半面を出さないで、美しく、しかも平気らしく装《よそお》っていることを知る時、涙ぐましいなつかしさを思います。それが人間の道徳でもあることを思う時、人間のいじらしさを思います。

権威のあるお方、厳しそうなお方の前に出た時、女は皆、習いおぼえた作法を使って型のように典雅に静かに立ったり坐ったりします。それが地上の奥ゆかしい仕方でもあるのです。けれどもその時の態度には至るところに不安と窮屈がついています。言うことも装われた飾られたことばかりです。そこには飾られたものと飾られたものとのはねあいがあるばかりです。一段上から見たら虚偽であります。

人間が年をとればとるだけ装うことが上手になります。人間は厳しく装った人をともすれば聖者の如く拝もうとします。恐ろしい偶像崇拝に堕落した人たちであります。装って拝させようとする者は巧みにせりふを使います。彼は悪魔であります。自分は知らなくても後尾《しっぽ》が見えています。この悪魔と愚かな偶像崇拝者が集まると、そこには光明のおおわれた暗黒世界が出来ます。このいやな空気が時には宗教とか信仰とかの名がつけられることさえあります。

如何なる大博士でも女に溺《おぼ》れて妻子さえ棄てて走り去られます。子供が死んだ時には、現実主義とか物質主義とかの哲学者もお泣きになります。舌三寸、天下の世論を動かす大政治家も、奥様の前では子猫のようなこともあります。時の宗教界では菩薩のように尊ばれる方でも、静かなる夕べ、恋する少女のために吐息《ためいき》せられます。

徹底的に申します。地上には聖者（善に生ききるという意味で）はいませぬ。

溺れることをつつみかくして、ツンとすまして、清そうにしようとする心、その心が救われない心です。溺れる自分を、もがきながらも、どうすることも出来ないで泣いている方こそ、なつかしい私の崇拝したい方なのです。私は溺れることをすすめるのでも、賛成するのでもありません。そして又責めようとは思いません。ただ一緒に泣きたいと思います。私は、私たちのこの団体を、飾り装った者と者との乾《ひ》からびた者の集まりとはしたくありません。人間性の赤裸々の上に立って、ただみ仏にはからわるるままに、少しでも清く生きたいと思います。

女は夫の前では汚い醜い自分を赤裸々にさらけ出します。それを単純な目で見てはなりません。そこには飾らざる者のより真実が見えます。欠点でも、弱点でも、美点でも、長所でも、知りつくすことによってほんとの愛は湧いて来ます。女の長所をのみ見て愛そうとしたり、夫のいいところのみを見て愛そうとするのは、ほんとの愛ではありませぬ。悪いところ、嫌なところを知りつくして、そこにこそ自分をなげこんで、労《いたわ》りもし、慰めもし、励ましもするところに、ほんとの愛はあるのです。

泣きながら口汚く夫を罵《ののし》り続けている妻の側で、黙って煙草をふかしている男をみます。妻は自分の悪い性格に（悪いとは知りつつ）苦しんでいるのです。その苦しむのをこそ可愛そうに思っているのでしょう。厳かに装い、権威という甲冑を着た人の前では泣くことは出来ません。悲しい人間性を経験しつくした人の前でだけ、心おきなく泣くことが出来ます。

三　心霊の奥殿に輝ける汝自身の実相

その前にぬかづけ

懺悔《さんげ》に泣く監獄の囚人の様に、一人の人間が、秋時雨の夕べ、静かに静かに寂しさ悲しさを思う時、そのやるせない人生の寂しさ、その言い様のない霊《たましい》の動揺焦燥を、じっとじっと静かに味わって、一人黙想する私に、次第次第に、苦悩から平和に、悲哀から平和に、そしてその次には、幼な子が乳をくわえた時の様な、広い花咲く野原に出た様な、懐しさと温かみとくつろぎと慰めと感謝とを与えてくれる者は、いったい何者だろうか。

自分の外を見たら見つからない。私の内を見よ、汝の内を見よ。心霊《しんれい》の奥殿《おく》に点《とも》された光、その殿堂に坐っている権威者、それこそは、汝を真実に裁き、汝を真実に叱り、汝を真実に罰し、汝を真実に慰め、汝を真実に愛し、汝を真実に認める汝自身の姿である。

私が一つの悪事を考え、罪を犯し、嘘を語り、正義を蹂躙《ふみにじ》った時、私たちは、その事の未だ終わらない内に、冷たい鉛の様な、鋭い剣の様な裁判の前に立たせられる。そして後悔する。

神官が神の前にひれふす様に、私は、真面目に、真に自我の前にひれふしぬかづかねばならぬ。私たちの救われる道は唯それればかりだ。

「悪かった。悪いことをしました」。深い懺悔に心がみちた時、真実の裁判に従った時、今まで冷たかった厳しかった心霊の殿堂に座をとる汝自身は、直ちに、忽ちに変わって、罪に服した私の哀れさを慰さめる仏となる、神となる。たとえ私がその為した悪事のために世の中千人の人に笑われても、打たれても、敵にされても、にくまれても、汝自身を守り、慰め、力強く再び新しい道に進む力を得さす。

私たちが悪かった時、その裁きに従わず、ことさらに言いわけやごまかしやによって、心霊の光を暗《くらま》して悪に悪を重ね、懺悔のかわりに悪に強い悪魔の心をおし通すならば、私たちは更に第三第四の悪によって進まねばならなくなる。殿堂の扉は閉ざされて、私たちは漂浪《さすらい》の旅に上らねばならぬ。他人が褒めるが故に善いと思い、他人が悪く言うが故に悪いと思う。第一義的な生活はここに滅んで、酔生夢死の浮き草のような暗い旅にさまよう。

「月見れば千々にものこそ悲しけれ　我が身一つの秋にはあらねど」（大江千里）

悲しい人よ、他人の前で泣けば笑うか知れない。心霊の殿堂の前にひれふして泣け。泣いたその後、悲しさのその後、氷が水に、水が湯にかわる様に、徹底的寂しさに泣いた心は、不思議にも、その広い沙漠の様な寂しさの中に、ズーッと湧き出して来るうれしさ、にぎやかさ、のどかさ、何とも言えぬ温かさが知れて来る。

私たちの智慧が足らないでしくじった時、恥を受けた時、腹を立ててはならない。自暴をおこしてはならない。心霊の殿堂の前に立て。

心霊の殿堂の叫びには「汝は未だ足りない。努力が足らない」「今から新しい奮闘の道に出よ、そして、汝の恥を取りかえせ。汝の心が理想に燃え、努力に進むなら、恥を恥と思うに足らぬ。いざ新しい力を与える！」とあるにちがいない。

同胞よ、今こそ私たちは、悪いにせよ、善いにせよ、あまりに外を見すぎている。私たちの内にかえろう。

精神的に生きることだ。精神の内部《うち》に自覚も慰安も何も含まれている。私たちの言う精神生活は物質生活を否定するのではない。全てをふくみ、全てを超越《とびこえ》るのだ。物質生活は生活の全体ではない。主眼ではない。一生の間、我々の努力、自己の発揮のため全生活を統御せよというのだ。金は一文なくても俺は俺だ。悲しんではならぬ。自分を賤しんではならぬ。万円あっても俺は俺だ。そのために、自分を乱したり、傲《おご》ったりしてはならぬ。そんなもので自分に価値をつけようとしたり、自分を軽んじてはならない。

心霊の奥殿に輝く我を良心と言おうか。あまりに軽い意味になってしまう。神や仏と言うか。我をはなれて存《あ》るのではない。我々がその前にぬかづき終えた時、あゝ、そは我の悟であろう。

四　不言の言を聴く

宇宙最高の権威者でいます生命のみ親よ。み親はその徳において、智慧において、慈悲において、絶対者でございます。それは如何なる言葉でも言い表すことの出来ない不可称、不可説、不可思議におわします。

私たち人類は長い間、人間にゆるされた浅い智慧、一分間後すら確かに証拠だてることの出来ない智慧、一分間後すら誓うことの出来ない智慧、物の表面だけ見てその本質を知ることの出来ない智慧、まだまだ言い方のないほどの間違いのあるあさましい曇りの来た智慧で、おお、その智慧でみ親の絶対を説こうとしました。何という僭越《せんえつ》でしょう。何という冒瀆《ぼうとく》でしょうか。

又、ある者は、人間に恵まれた、せばめられた、末通らぬ心の清さを捧げて、み親の温かいみ心から感応を受けようとしました。そして救われようとしました。

ある者は「私はこの通り清い心で証《あかし》を立てます」と言って祈禱いたしました。

ある者は「私は清い心で善い事をいたします。その善をお取りおさめ下さって、永遠の歓びの園に入れて下さい」と言って善を励もうといたしました。

ある者は山に入って妻子から離れ、世間からのがれて智慧の眼を開いて、自分の運命をみ親のような永遠なものにしようといたしました。

けれどもそのどれもが私の行くべき道ではなかったのです。

私たちは自分というものについてあまりによく知っています。私たちが私たちの内に聖なる願いを見出した時には、私たちは私たちの罪悪に泣き、苦しみに疲れ、死におびやかされ、どうかしなければならないのにどうも出来なかったのです。

清い心にもなれました。けれども、それも二、三日で消えたのです。清い証《あかし》も立てたのです。けれど、すぐにそれも破れたのです。善事もしてみたのです。けれども、一つの善すらみ親の前に出せるものはなかったのです。一つのよいことをする間に数知れぬ悪を犯すのです。冷たい哲理に聖なる自分を見出そうともして見たのです。けれども「定水《じょうすい》を凝《こら》すといえども識浪《しきろう》しきりに動き、心月《しんげつ》を観ずといえども妄雲なお覆う、而るに一息追《つ》がざれば千載長く往く」のです。

もうどうすることも出来ない時、私たちは「自ら然らしむる」み親のお言葉を聞かされはじめたのです。

それについて私たちは、私の第一の間違いを発見させられたのです。

「お前は自分の力でそれができると思うか？　それはお前には出来ないことなのだ。お前は無始以来のお前の迷いがお前を生んだのだということを知らないのだ。お前は人間という者の約束を忘れている」との御言葉でした。そうでした。懺悔《さんげ》はただ懺悔のままに消え、清い心は汚い心の中に沈み、こうしよう、ああしようと願っても、すぐその次の瞬間に変わってしまう不定な自分の心でした。それを知らない大それた願いだったのです。

私はまた、第二の間違いを知らねばなりませんでした。

私は至尊如来のことを「み親」と言っています。私はみ親をみ親として仰いでいなかったのです。至尊を冷やかに見ていました。私が清い心で願いましたら、私の願いを聞いてくださるみ親だと考えていたのです。私の智慧を私が開いたら仰がれるみ光だと思っていました。何という冷たいみ親の見方でしょう。人間の親子の愛すら、親の方から働きかけるのです。

私の知らないその内から、先手かけて、私の如何にかかわらず、血と涙で私を抱きしめ、「さめよ！　覚れよ！　聞けよ」と叫んでいて下さったのです。大慈大悲のみ親であるからには、この単純な真理のわからぬはずはないのに、やっぱり私を育てあげて下さるまで、その単純な真理のわからぬ私だったのです。

「私は清い心になります。お救い下さいませ。……私は正しい智慧をよびおこして私自身を救いたい。……私は善事をはげんで、功徳をつんで聖なるお光を仰ぎたい……」。何という継《まま》子《こ》根性でしたでしょう。何という私の大きな迷いでしょう。私たち衆生はみ親と私とを別々に離して考えていました。私がおらなくてもみ親はいますし、み親はいまさなくても私はあると思っていました。これが根本からの間違いの第三でした。

み親の「不言《ふげん》の言《げん》」は心の耳に響きます。「もしお前を救うことが出来ねば親だという正覚はとらぬ」。しかるに、み親は十劫の昔に至尊になっていらせられる。私の親となって下さってあるのです。私あるが故のみ親、私を救うことにおいて無量の功徳荘厳におわしますみ親なのでした。

(私は中論の「観念可燃品第十」を味わわせていただきました。空の理をおいて)。

私たちは火と薪《まき》を分けて考えていました。火は薪(あるいは炭)を離れてもあると思っていました。火はただ薪によってのみの火でした。薪は火によってのみの薪でした。火と薪は同じものでもありません。といって違ったものでもありません。異と同じとの中間のものでもありませぬ。

み親という火は、ただ、衆生という私あっての火なのでした。如来と私とは全く異なったものでもございませぬ。又、同じものでもありませぬ。その中間のものでもありませぬ。言語では言えないことなのです。とにかく、私とみ親とは離して考えることは出来ないことなのでした。私を救ってくださってのみいますみ親でした。結局私はどうすることもなかったのです。このままがお光に燃えさせられるのでした。

「不来《ふらい》の来《らい》」のみ親さま。私たちはあまりにみ親を人間の眼で見ていました。十万億土に祭りこめたり、仏殿とか祭壇の上におしあげたりして、偶像としてしか見ていなかったのです。けれども私たちはみ親のみ名のあまりに尊いことを知りました。

「涅槃をば『滅度』といふ・『無為』といふ・『安楽』といふ・『常楽』といふ・『実相』といふ・『法身』といふ・『法性』といふ・『真如』といふ・『一如』といふ・『仏性』といふ　仏性すなはち如来なり　この如来微塵世界にみちみちてまします、即ち一切群生海の心にみちたまへるなり　『草木国土ことごとくみな成仏す』と説けり」（『唯信鈔文意』）

（島地二〇―七、西七〇九、東五五四）

一切世界の衆生の心にみちみちたもう法性法身のみ親は「色もなし形もましまさず、然れば心もおよばず語《ことば》もたえたり」（同）（島地二〇―八、西七〇九、東五五四）、私たちが考えることの出来ないお姿でございます。

「一如より形をあらはして『方便法身』と申す、その御相《おんすがた》に『法蔵比丘』となのりたまひて不可思議の四十八の大誓願をおこしあらはしたまふなり」（同）（同）

まことにみ親は、色、形、香を超越したもう、私たちの範疇《はんちゅう》ではどうすることも出来ない絶対的絶対者におわします。けれど方便法身のお姿を表したまい、ついに「誓願の業因にむくいたまひて」報身如来のお姿、阿弥陀如来とおなり下さったのであります。一体にして無量の姿を表したもう報身のみ親様、不生にして私の内に生まれたもう不生の生のみ親様、来らずして来たりたもう不来のみ親様、私は全ての言葉をもってしても讃嘆しつくせませぬ。仰いで「あゝあ」と、あきれるばかりでございます。

恵まれた夜

私は行きづまりのない金剛無碍の白道《びゃくどう》の上を歩かせて頂きます。み親の、大悲のみ親の、たのませてお救い下さる先手の一方働きの、全ての方便によって、宇宙微塵世界に輝きたもう智慧のみ光にあわせていただきました。根本実在でおわすみ親に参徹することを得させて下さいました。私の生命の奥に君臨まします、み親の不言のみ言葉を聞かせて下さいました。私はただ心からの願いに従って、真実に真実にと生きさせていただきます。罪であろうが、死であろうが、私には問題ではなくして下さいました。生死の園に居ながら、それがすぐ如来への生きかたとは、何という尊さでしょう。私は、私自身の、あの三十二相八十種好の姿を礼拝させて頂きます。今の私に与えられた唯一の慰安である快い眠りに入らせて頂きます。恵まれた夜は更けてゆきます。

合掌（六月九日夜二時）

五　火中の蓮華

王舎城の内には阿闍世王《あじゃせ》を中心に貪欲瞋恚《しんに》愚痴の三毒の炎が高く燃えあがっています。火中に救いを求める韋提希《いだいけ》の胸は、すぐ家庭苦にやつれて血みどろになって毎日を送らねばならぬ私どものそれであります。

三毒の炎の中に救いを求むる白道の表れこそ、如来願心のありったけであります。

世尊は『法華経』の御説法の途中からこの火中に飛びこんで、韋提希の胸に如来の慈悲の涙をおそそぎになりました。そうして空中にあらわれたもう立撮即行《りっさつそくぎょう》の阿弥陀如来を拝ましめたもうのであります。火の中のみ仏、三毒の炎から逃れようとしてのがれ得ないそのままの内に、み仏の救いによみがえりました。

火中そのままの内につき出して来る念仏。

火中の蓮華、じーっと目をつぶって、炎の中の苦しさとみ救いの有難さと、私は久々ぶりに涙します。

家庭苦にやつれた女はないか。

在家のままの中に生《は》えぬきたもう念仏を、あらゆる女性の胸に浮かばせたい。
家庭苦に苦しむ女はないか。

『涅槃経』に「如来、苦を受くれども苦をおぼえず。衆の苦を受くるを見ては己の苦の如し。衆生のために地獄に処するも、苦の想い及び悔ゆる心を生ぜず。一切衆生各々異りたる苦を受くれど、ことごとく是れ如来一人の苦なり」。

ドロドロと燃え上がる火、今にも屋根の落ちんとしている火の中に、眠れる子を抱きとるために走りこんだ親を思います。五人でも七人でも、一人一人のために、苦を受けねばならぬ親を思います。親は子供のために喜んで苦しみます。苦しむことを苦にはいたしません。「あの子のために」、それが親の心の全部であります。病む子供の苦しみは、ほうっておくことの出来ない親の苦であります。子供のために苦しむことは、苦でありながら苦ではありません。強いられて嫌々ながら負うた苦ではありません。天地自然からほとばしり出た慈悲につき出されたのですから。

衆生のために地獄にいても、苦しい思い、後悔の心の出ないのが親であります。私の一切から燃え出した火の中に、はっきりと山のように燃える炎が見える。私の郷里の本立寺《ほんりゅうじ》が炎上した時、柱一本崩れずに燃えない所は一か所もなく、真っ赤に燃えているのに当面した時、思わず合掌したあの刹那を思う。あの火の中に七転八倒しているのが仏なのか。ああ、私の一切から燃え出した火の中に如来は立って燃えたもう。その火の中に、やがて火にも焼けない蓮華が生えたつ。それが南無阿弥陀仏。私の罪のありったけ、如来のご苦労のありったけ。そうして願行成就のありったけ、煩悩即菩提。

慈覚大師が越中の立山に登る。炎々として燃え上がる炎を見て、

「諸人の罪にかわりて燃え上がる　ほのおは弥陀の姿なりけり」

と高く唱えられると、炎の中から声あって曰く、

「たのみつつ衆生の心すぐなれば　我はほのおに燃えざらましを」

親は終始泣かねばなりません。火中に立って子のために苦を受けて成就した、そのありったけを子が受けてくれない時、親は又、泣かねばなりません。信じさすために、すがらすために、まかさせるために。親から子供の魂が離れて行く時、親は子を失うた時であります。信ずることによって心と心は結ばれます。久遠劫来、疑うという暗黒の中に生きねばならぬ約束をもった私どもに、信じさす親の努力は並大抵ではありません。

「たのみつつ衆生の心すぐなれば　我は炎に燃えざらましを」

「燃えざらましを」とは、「燃えないであろうのに」という意です。私の起こす炎の内に又もとびこんで、炎に燃えつつ、私の内に心蓮華《しんれんげ》を開かすために苦しまねばならないのです。たいがいに親を泣かせたがいい。この上、親を泣かせて何としよう。

気も狂わんほどに待ちかねたもうみ親、私の腹のどん底に大悲の親のありったけが届いて、この炎に狂う私の腹の中の信の世界でなくては、み仏と私の手は握られないとは。

今日のように、足も腰も立たなくなって、一切自由を失い、寝たきり、動けないほどの大病にならねば、これまで育てたまいし親の恩がわからぬとは。

不孝者でございました。

けれども救わねばおかぬ親の念願は私に強く働きかけて、私の内に親心を播《ま》きつけました。そうして見事、火中に心蓮華は開いて来ました。

三毒の火の中から、たった一口、腹から胸に、胸から頭に、頭から口に、南無阿弥陀仏とつき出した時、み親は如何に喜びたもうたであろう。

眼をぎらぎら光らせたまひ

そのおん眼に熱き涙をたたへたまひて

金色のみ手をあげ
金口厳《おごそ》かに動かしたまひて
「末代の凡夫・罪業の吾等たらん者
罪はいかほど深くとも
我を一心にたのまん衆生をば必ず救ふべし」（御文章）
（島地二九―五六、西一一八一、東八二七）

逃げる我を摂取して
金色の、西方に実在する安養浄土に往生せしめたもう。
今日も一日、今にも暮れる。
静かに静かに合掌して涙ぐむ。

六　大我に生きよ

合掌して運命に随う者

法兄様、苦しくはありませんか。法姉様、辛くはございませんか。生きることの重荷。何という重荷を負わねばならぬ事でしょうか。重荷をおうて生きる。否、生きることそれ自身が重荷であります。別れたくないものとも別れねばなりません。死んではならないものも死んでゆきます。別れたくて仕方のないものも別れ得ないで、憎みあいながら共に暮らさねばなりませぬ。地上の悲しい呪わしい怨憎会苦《おんぞうえく》であります。

希望を抱いて勇しく進んでいても、事、志と違い、長い過ぎこし方をふりかえる時、流れ流れて来た経路はあまりに痛ましくも、愚痴の種であります。

末は博士か大臣かと、輝く前途に胸おどらせた過ぎし日の秀才は、今、小さい古ぼけた事務机で、灰色なその日その日を一小役人として生きています。金満家に、それは大部分の人の志願でしょう。けれども、人の大部分は貧しいままに労働を売って、貧しい晩餐の一杯の酒に自分の全てを忘れようとしています。妻の冷たさに泣く男、夫の心変わりに気も狂乱な女。子供に去られる親、親に棄てられた子供。それぞれの人によって生きて行かねばならぬ苦しみ。

その苦しみからのがれたい、その苦しさから救われたい！　子は子で、親は親で、夫は夫で、妻は妻で、皆、各々がこの苦からのがれたい。人はこの苦からのがれたいために、日々、夜々、考え、働いています。金があったらのがれられるか。勉強したら、位を得たら、妻があったら、夫があったら、山に行ったら、仕事を変えたら、都会に出たら、田舎に行ったら、子供があったら、子供さえなかったらと、もがきながら墓場へ墓場へと急いでいます。

のがれられるでしょうか。老人はよく言います。「苦が変わるばかりじゃ」。深い知慧から出た本当の言葉であります。生きることそれ自身が苦であります。生きることがあって、それに苦がつけ加えられているのではなくて、生きているということが苦なのであります。

彼女の夫はふとしたことから酒を飲みはじめました。そうして妻たる彼女に温かい言葉一つかけないようになった頃には、外に女を幾人も弄《もてあそ》んでいました。男は毎夜毎夜、夜明けになって帰って来ます。彼女は去りたいと考えながらも、三人の子供にひかされて、泣いて誡《いさ》めもし、願いもしました。けれども男の生活はそのまま十年も続きました。嫉妬、呪い、絶望、女は夫をのみ恨みました。けれども彼女の心の内にも光のひらめく時がありました。彼女は今までと違った気持ちで寺に参りはじめたのでした。聞くたびに彼女の心眼は開けて来ました。そうして泣く涙のままが感謝の涙に変わりました。

一応は、夫が悪いのです。けれども、一度本当に考えることが与えられた時、夫の悪いということが彼女の運命であり、業であり、生活なのでありました。そうして泣きながらも、その業をこそ目をつけたまいし大悲のみ親の呼び声に目覚めた時、初めて、合掌して運命の前にひざまずき、運命に随う自由な自分を見出すことが出来ました。合掌して運命に従うもの、それこそは大悲のみ親に抱きとられた人であります。

彼女の生活はみ仏中心の生活に変わりました。三年、五年、夫はやはり放蕩をつづけます。彼女はとかく泣きながらも、その涙を浄化されて十年は過ぎました。お光は彼女を通して夫へ知らず知らずの内にはたらいていました。そうして、男は変わって来ました。夏の夕、涼しい風を受けながら、やや老いかけた彼女と夫は念仏を称えながら共に夕食をとる時が来ました。

全て生きることは業であります。業に縁がふれては新しい私を刻々に生活して行きます。様々な苦しさを生活して行くことは、堪えがたいことではありますけれども、その苦しさをまともに見つめて行く者は、いずれ、涙のままが恩寵に変わる時が来ねばなりません。親と別れることでもいい、真に泣いて親と別れ得た者は、本当に愛別離苦、わかれの辛さを知らされて、魂はより深い世界を知って来ます。如何なる苦しさに出会っても、暴力をふるって運命にはむかおうとしてはなりません。別れなければならぬ者は、どうしても別れねばならぬ。会わねばならぬ者はどうしても会わねばならぬ。

静かに合掌して、魂の消え入るような苦しさの内にも、素直に運命に随うことのできるもののみ、それはやがてみ親の大慈大悲の温かい胸の内に抱かれて、運命を感謝し得る時が来ます。み親の温かい胸に抱かれた者のみが、苦しいままの運命の前に合掌して素直に従うことが出来ましょう。

合掌して運命に生きる者

昔、インドのセイロン島に美しいケラニヤという国があった。その王をチッサと言って、至って仏法を仰信するお方であった。毎日宮廷にはたくさんの僧を入れて尊い供養を行われた。その頃、この国にケラニヤ僧正と呼ばれる高僧があった。国王は深く僧正に帰依して王の妃と共に厚く供養していました。

けれどもこの王宮の内に何時か悪魔が巣くうて来た。それは王の弟が年若な美しい王の妃に道ならぬ恋をしたことである。妃と王弟とは人知れず不義の恋路にわけ入って、ヤシの葉かおる花園に甘い私語を交していた。何時しか王の耳に入ったが、寛大な王は、妃の美しさに心ひかれる王は、ただ王の弟を宮門の外に追い出したのみで事をすましたのであった。

宮廷から追われた王弟は妃のことが忘れられない。狂う心はいや増すばかりであった。恐ろしいたくらみは考えられた。王弟は小賢しい一人の男を僧の姿に装わせて、黄色い衣の下には燃ゆる思いの艶書《えんしょ》を持たせて、王宮の門に立たせた。間もなくケラニヤ僧正は何時もの供養を受けに来た。にせの比丘も僧正の後につづいて王と王妃に迎えられて王宮に案内された。僧正はにせの沙門を見て、何の不審もおこさない。王は又、僧正の弟子だと思っていた。

沈黙の内に供養はおわった。にせの比丘は何時か隙を見たら、王弟から頼まれた手紙を妃に渡そうとした。けれどもその暇はない。僧正の法話も終わった。けれども手渡しする隙は与えられない。僧正は立って王宮を出ようとする。王弟の使いはあせったけれどももう玄関に立った。今は仕方もなく、思いきって人知れず手紙をば王妃の前に落とした。それと知った王はすぐその艶書を拾い上げた。

王宮にかえった王はその手紙を開いて見た。王の顔はみるみる火のように怒りに燃えた。手紙の宛名は王妃、その差出人はケラニヤ僧正、筆のくせまで僧正そのまま。あわれ切なき蜜より甘き恋のうったえではないか。

おのれ憎き破倫の坊主、かかる不埒《ふらち》な装われた悪魔とは知らなかった。怒りに燃えた王は兵を送って、あわれ僧正をめし取った。刑場には大釜に油がぐらぐらと煮えている。僧正は煮油の中に入れられて煮殺しの極刑を受けねばならぬ。

僧正の口からは一言半句の弁明もない。

静かに観念の眼は閉じられた。

最大の試練。

真剣の絶頂。生温い全てが役立たぬ。

必死無二の心観、最後の止観に突入した偉大なる僧正。

迷えるか、然らず。恐れたるか、然らず。

怒れるか、然らず、恨めるか、然らず。

ぐらぐらと煮えあがる油の音も他処に、僧正の魂は、安養の世界から流れ来る光明の一道を見つめて、永劫の輪廻を今はなれて、真如の彼岸に立っている。

僧正は悠々とたぎり立つ油の釜に入れられた。

その時、僧正の口からは、いわゆる「鼎鑊上《ていしゃく》の偈」と言われる九十八首の偈が声高く唱えられた。

九十八首の偈、それは全て仏法を勧める勧道の偈である。恨みもなければ弁解もない。ただ生死の迷い、亡びゆく人の身の目覚めを説いて、さとりに入れ、と教え勧めているばかりである。

全ての試練に打ちかって不退の努力を続けたい。自己の全てを知った者は自分の小細工を使わずに、自分の全てをもってぶつかる。自分の全体をなげかけて行く者には、小我のはからいもなければ、善もいらない。ただ、自我の全てを棄てて、大きなはからいの中に生きる。

無我の生活がここから生まれる。

運命の前に合掌して。

迷える者

人は皆、西へ西へと進む。道がなければ道をつける。河があれば橋をかける。一夜一夜の仮舎《かりごや》をかるためには家をつくる。便をもよおすから便所を作って、それを使う。体がよごれるから風呂を造る。寒いから着物を作る。腹が減るから食事をとる。

おい、人間、お前は長い旅の途中で、初めの目的を忘れはせぬかい。

おい、人間、皆、腰をかけているではないか。橋まで行って橋のみきれいにしているもの、渡ることを忘れて。いい家がよい。けれどもそれは一夜の宿ではないか。夜があけたら出て行くのだ。何時まで着物の品さだめをする。着物も生命ではない。寒くなかったら出てゆくがいい。便をもよおす時は便所がいい。便所から出たら歩くがいい。何故に西へ西へと行くことを忘れたのだ。そうして道草を食って進まないのだ。

人間よ。お前たちがしていることは複雑だ。容易に何が何やらわからないほどこみ入って来た。けれどもこみ入ればこみ入るだけ、お前はお前の魂の本願を忘れるのだ。町に買物に出た者が買物を忘れてあきれているように。

いくら複雑でも、もとは単純なものであったのだ。美しい鶏《にわとり》が歩いているけれども、それはもと小さい一個の卵であった。お前は、お前の今のこみ入ったお前たちの社会に目をつけていて、その複雑をもとの単純なものにかえすことを忘れたのだ。歩くことを忘れたのだ。そうして歩くための全ての方便に気をとられてしまって。そうして毎日毎日、電柱と電線を長く敷いていても、一度も電流を通じることを忘れていたら、何のことだかわからぬではないか。

魂の本願を忘れた者は、もっともっと考えて見るがいい。お前は悲観したり、煩悶したり、狂ったりするだろう。けれども、それでも平気でいるよりは賢い。便所に行きたいときに、風呂場を美しく飾ることに苦しんでいる者よりは尊い。もっと苦しむがよい。お前が魂の本当の願いを忘れたのは昨日や今日ではない。ずっとずっと前、生まれる前から忘れていたのだ。目をさまして泣くがいい。

けれども、もう一つ、もっと悲しいことをお前に言わねばならぬ。それは今お前が目をさましてお前の本願を知ろうとしても、知る力のなくなったことだ。更に、もし、お前よりもっと賢い者に、お前の本願を知らされたところで、お前はその本願につき進む力と根気のなくなっ

ているこ とだ。私は今、全てをお前に言うまい。むしろお前はそのままに迷い続けたがいいかも知れぬ。しかし考えて見るがよい。

それでは絶望だと言うのか。そうだ、目がさめたら絶望だ。何？「絶望の彼方に無限の広野あり」だと。そんなことをお前に今教えたくない。お前は、その言葉に腰をかけて又道草を食って怠けるから。教えなくてもきっときっとお前は一度、絶望だと知る時が来るよ。

死念仏を称えている法義の道楽者もまた魂の願いを忘れている者である。「今日は寒いから学校に行くな。おお菓子がほしいか、買ってやろう。よいよい、借金が出来たら払ってやろう。仕事なんかすれば手が荒れる。旅に出しては寂しくて仕方がない。何をしなくてもいい、遊んでいよ」。甘ったるい親のような、こんな温情主義のみ仏だろうか。観世音菩薩の慈悲に大勢至菩薩の智慧、み親は慈悲と智慧とを持ちたもう。如来の慈悲を知って、智慧を知らぬ者。何という真剣味のない法義道楽者。法義道楽者が増えれば、家も滅ぶ。国も滅ぶ。

罪深き者たることを本当に真剣に知らぬ者と、溺るる自己を極重悪人の名によって社会的に救おうとする者と、親鸞聖人が強い意志の方であったことを知らぬ者と、未来はみ仏中心、この世は金中心と、二重に自分の使える者と、真諦と俗諦とは全く別なものでありながら、相即不離であることを知らぬ者とは、死念仏を享楽している者である。

死念仏の行者には大安心と常行大悲のひらめきがない。末通った最大な力となりたもうみ仏たることを知らない。彼等は念々刻々の歩みを如来のおはからいにまかせることが出来ない。念仏と共に寝ね、念仏と共に起き、念仏と共に働く報謝の生活がない。着る物も食う物も家も、如来の御用物たることを知らぬ。身を粉にしても恩を報ずる憶念の信がない。世間の思惑や利害のためにのみ動く。この身は極重悪人だと言うけれども、如来のみ光に自分を照らしたことは一度もない。法を聞く陶酔の享楽はあるが、悪人自覚のひきしまった生活がない。

何という悲しい俗風だろう。何という真宗の廃頽だろう。信者、安心者と称する者はあまりに多い。そうしてみ仏によって生きた者はあまりに少ない。死念仏を骨董《こっとう》のように弄んでいる念仏道楽者、一人増せば国が衰える。村が乱れる。家が乱れる。死念仏をいじくる人も、建物も、皆、壊滅に急ぐ。不死の神法、南無阿弥陀仏は死の中に存在しない。

親鸞聖人のあの大人格を通さずに真宗はない。み仏の大慈悲は人格を通してのみ聞くことができる。国賊道鏡を以て親鸞聖人と置き換えることは出来ない。み仏に生きた人格を通してのみ、み仏の名号を聞いて信心歓喜することができる。人格をおいては宗教はない。人格を問わずに法を言う者と、善知識の言葉を頼みにする者とは、共に死念仏の行者である。

高い人格にふれてこそ我が信仰生活の向上徹底はある。そうして、説教者の言葉のみ聞いて握る者は、み仏と我との直接の約束を忘れている。仏を信ずるのでなくて人を信ずるのである。

かくて我々は、走りたい時に走り、笑いたい時に笑い、食いたい時に食い、眠りたい時に眠り、黙っていたい時に黙っており、叫びたい時に叫びつつ、しかもそれが不退の歩みでなければならぬ。自力の迷いによるにあらずして、大我（み仏）のはからいにまかせて、強いられた苦痛なく、全ての障碍の砕けゆく白道《びゃくどう》の上を歩ませて頂かねばならぬ。

七　おちきる境地

落ちきる境地

信じたら往生するのかと思った。
知ったら往生するのかと思った。
念仏したら往生するのかと思った。
疑いはれたら往生するのかと思った。
善いことをしたら往生するのかと思った。
悪い心では往生出来ないのかと思った。

何も駄目であった。
何も間にあわぬのであった。

信じても落ちるのであった。
知っても助からぬのであった。
念仏しても駄目であった。
善い事も出来なかった。
悪いこともやめられなかった。
唯あるものは堕ちてゆく私のみであった。
堕ちて〱、おちるより外なかったのだ。

何を出しても、何を探しても、おちるのだ。
おちるのだ。
そのおちる奴をお目あてかと、自力の手でささえても、
その手もろ共おちるのだ。
どうしてもおちる。

聞けば聞くだけおちるのだ。
考えれば考えるだけおちるのだ。

光から暗《やみ》に、光から暗に、
暗から暗に沈む機は、その機をながめて執着する。
自分を一切ことごとくみな飾らずごまかさず見つめた時、
「我が身は罪深きあさましき身」。
どうしてこの心が頼りになろうぞ。
我が身が頼りにならねばどうなるのだ。
沈むのだ。
何を出してもおちるのだ。

「そのおちる奴がお目あて」と出たがる心もおちるのだ。
おちる奴がお目あてだと何度つじつまを合わせても、
魂の奥底にどこか承知しないところがある。
その奴こそお救いだと思い込んでも、どうしても安心が出来ぬ。

やはりおちるのだ。
もらいたいのは信心だ安心《あんじん》だと、力めば力むほど疑いが晴れぬ。
晴れぬままにお慈悲を仰げと知らされても、お慈悲がわからぬ。
いったいこの私はどうなるのです。
おちねばならぬ機が、おちまいとする反動を自力というのだ。

魂の内の大空虚、そのからっぽに説教の法水がそそがれると、
その当座こそ充ちたようだが間もない内に消えゆく。
五年十年やって来ても
「知った、わかった」の高慢の鼻ばかりのんで心の内は空虚である。

握って悪いと知りながら、いただいた信心を力にしたい。
称えた称名は報謝だと合点しているようなが、
称える称名で心の空虚を埋めたい気がする。
何にも役に立たぬ。それでも何か役に立てたい。

探して尋ねて苦しんでも、知れて来るのはおちる機ばかりだ。

やめよ。全てをやめよ。
おちる者はおちよ。助かろうとする自力を棄てよ。
そこには、ただおちる汝が見えるばかりだ。
おちて見よ、おちて見よ、おちきって見よ。

その学問を棄てよ。知ったのを棄てよ。
そのわかったのを棄てよ。極楽参りの根性をやめよ。
仕末のつかぬ腹の中のこみあげる自己反逆の大軍勢に、
もっと自由の天地を与えて見よ。
聞くも考えるも思うも、唯これ汝の地獄を知らせるばかりである。
はからいをやめよ。自力をやめよ。久遠の本性を直視せよ。
その本性こそ六道輪廻の主、
大蛇の形相《ぎょうそう》おそろしき仏も菩薩も仕末におえぬ地獄一定《いちじょう》の奴である。

「かゝる奴めを……」

まだ早い。その手が汝を迷わすのだ。

やめよ〳〵。

自力を信ずる間は暇がある。夜も楽々寝られよう。

何にも手を出すな。

大蛇の姿を見つめて見よ。

そのまま、永劫の火に飛びこむのだ。

悪人自覚

念仏は善人の口から出る自己肯定の声ではありません。悪人だと腰を下した者の狡猾《こうかつ》な自己修飾の声でもありません。自分の虚偽に泣きつゝ、より真実にと進む者の生きた一歩々々の行進曲の調律であり、法悦の自然なる湧出であります。悪人の自覚、悪人だと知ることは、心の垢を知って念々に心の垢を捨てゝ行くことであります。善人だと気取った時、もう垢を棄てることを忘れたのであります。

「悪人です。悪人ならこそこのままのお救いです」

言葉の上でなしにこの気持ちの内をよく内省しないと、とんだ悪魔が巣くっています。悪人だとドッサリ坐りこんだ者、そしてその坐りこんだものが本願のお目あてだ、これが救っていただけるのだと思っていると、それは大変な間違いです。けれども今、天下満々として説者も聴者も陥っている有様は実にこれであります。極楽往生と思いの外、地獄行きであります。悪人だと座にドッサリ坐りこむほどのおそろしいことはありません。

善人だと自分を買いかぶるのも恐ろしければ、悪人だと坐りこむのもおそろしいことです。この二つの型をこわして、前へ進む者がほんとの不退の念仏行者であります。ここに言う善人だと気取った人のことを似而非《えせ》善人と言っておきます。ここに言う悪人だと腰を下した人を似而非《えせ》悪人と言っておきます。前者が偽善者ならば、後者は偽悪者であります。

偽善者

説教師はたいがい偽善者で、今の念仏の同行はたいがいが偽悪者であります。虚偽であることにはどちらも間違いありませぬ。偽善者と偽悪者と二つ集った社会には生きた信仰や法悦はありません。宗教も真宗でなくて偽宗が生まれます。虚偽で満足のできる人には偽宗でけっこうなのであります。真宗とは真実の上に立った宗教であります。飾らず、偽らず、あるがままの上に立てられたのが真実の教えであり、宗教であります。

偽善者が集まると喧嘩がたえないのであります。

一軒の家があります。夫と妻と子と姑の四人暮らしであります。四人はそれぞれが善人だと思っています。偽善者であります。どうか社会から善人の集まりで平和な家庭だと思われようとばかり考えています。

主人は主人で自分が一番世界中のよい夫であり、よい父であり、母に対しては孝行人だと思っています。妻は妻で自分ほど夫に対しての貞女は外にないと思っています。母としても自分のしていることが一番子供によいと思っています。姑に対しても自分ほど姑によく仕える嫁はあり得ないと思っています。子供は子供で自分は孝行人だと思っています。皆善人だと気取った人ばかりの集まりであります。

「あなたのご家庭は誠に御立派であります。平和なことであります。ご結構です」とほめられた時だけは、誠に家庭は輝きます。皆得意になってほんとに平和を表します。けれども何か一つ間違いがおきた時には、皆、「私は善人だ」という固い城に立てこもりますので、冷たい四人がはなればなれのものになってしまいます。

ある時、戸締りが悪くて盗賊がはいりました。朝起きてお金がないので主人は妻を叱りました。主人は昨夜遅く酒宴に招かれて帰って来たのであります。妻は遅くまで起きていました。妻は承知しませぬ。主人に食ってかかります。早く帰って来て下さらないから。私がおそくまで起きていて主人のお帰りを待っていた貞女ぶりに感心が出来ないで、自分を叱ると思います。子供がお金をよくしまっておかないで出しておいたのです。妻は子供を責めたてます。子供は、おばあさんに渡したのだと言います。おばあさんは「お金だろうとは思わなかった」と言います。

四人の善人は、それぞれに自分を主張して決して悪人になりませぬ。褒められた時、平和になるのは、皆が善人だと得意になれる自慢心に満足ができるからであります。悪いことがおきた時になかなか言い張って一緒になれないのは悪人になることが嫌だからであります。人間がかかる善人である間は、

夫「これほどまでに妻によくしてやるのに、何故妻はもっと貞女にならぬか」

妻「私はあれほど貞淑をつくして夫に仕えるのに、何故夫はもっと愛してくれないのだろうか」

親「あれほど子供を可愛がって骨身を砕いて育ててやるのに何故子供は孝行をしてくれぬか」

子「私ほど孝行人はない。自分の希望も何も皆親のためには犠牲にしてしまった。それに親は一度もこれでいいと言ったことがない。何故自分の親は私の孝に対して鈍感なのだろうか」

とこのように考えていますす。一歩も進み出ることの出来ない退転の人たちが善人であります。

善人の集った世界ほど淋しいものはありません。

善人の集った世界では、盗賊に金を奪われた過去について半日でも三日でも議論されてあります。そうして結局が議論して自分の悪名を着まい、罪を他人になすりつけるといたします。皆がそうでありますから、議論に日が暮れるばかりで何も生まれては来ませぬ。

善人ばかりが集まりますと、自慢、高慢に鼻持ちがなりませぬ。誰でも人を見たら馬鹿や悪人に見えて来て、自分ばかりが善人に見えます。否、善人に賢人に見せるように苦心してばかりいます。自分の内はどうでもいいのです。何かしら空虚があっても、そんなことは問題ではありません。他人の忠告などはちっとも受けはいたしませぬ。ほめられたら、それ見よがしに高くなるし、くさされたら、しぼれて力を失ってすぐけなした者を嫉《ねた》みます。善人たちにとって一番大切な事は、世の中からほめられたり、くさされたり、持ち上げられたり、笑われたりすること、いわゆる毀誉褒貶《きよほうへん》であります。毀誉褒貶に七面鳥のように顔色を変えるのであります。

念仏行者も一度、「我は同行なり」と坐りこんだらそれまでであります。我は教える者なり、と構えたらそれまでであります。不退の念仏行者ではなくて偽善者であります。

偽悪者

偽悪者は悪魔であります。地獄行きであります。社会を乱し、国家を危うくし、人類の怨敵であります。悪いままに止まる者であります。悪いままをこのままでよいと考える者であります。悪人正機の御救いを得手勝手にとった人であります。涙の枯れた人面獣心の人であります。五逆の徒であります。真実の一道を失った者であります。魂の本願のない人であります。自分一人が損にならねば、どんなことをも厭わぬ人であります。

八　ありがたいの一語

全ての国の言葉から「ありがたい」の一語を取り除き、全ての家庭から「ありがたい」の一語を駆逐《くちく》し、そして私の今日一日の生活から「ありがたい」と感謝することの全部を取り去った時、そこにはいったい何が残る。

貪《とん》、瞋《じん》、痴《ち》の地上《ちじょう》醜《しゅう》の中から「ありがとう」の一語が、ずっと久遠劫来、そうして永劫流れ動く。貪欲と瞋恚《しんに》と愚痴との地獄業に疲れた者たちは、その底に火山脈のように流れ通る一脈の光と涙とに蘇《よみがえ》る。そうしてその流れが三毒の煩悩の中に噴き出す時、「ありがたい」の一語が心情から頭から口から飛び出して来る。

　自然《じねん》の大慈大悲を、高慢と貪欲と愚痴と瞋恚とで固く封じて感じないものには、「ありがたい」の一語が心から口から遠ざかる。「ありがたい」と言い得ることは、「ありがたい」と言わせることよりも困難なことである。人はもし、あのさもしい汚ない卑しい心に幾分でも破綻《はたん》が出来た時、内より輝く光に接する。ありがたい歓喜の光。

　大地の底には真紅に熔けた、燃えた熔岩が噴き出ようくとたぎっている。地図を開いて火山脈を見る。日本国の精のように東海の天にそびえる富士山、その富士山を中心に南北に走る富士火山脈、北は妙高山にはじまり、八ヶ岳、箱根、天城を経て、伊豆七島、硫黄列島に至る大小の火山。姿形はちがっても、大地の底に燃えたつ熔流の噴き出ずる所である。

　人間、否、一切群生の魂の底を流れ燃ゆる真紅な光の流れが、固く鎖した地殻大地を突き破って熔岩がほとばしり出るように、罪、迷い、我欲、立腹、嫉妬、闘争、等々あらゆる地獄業によって固く固く鎖した「我執」の地殻をやぶって、燃ゆる光が突き出て来る。


「ありがたい！」の一語。

「ありがたい」の一滴。

「ありがたい！」の合掌。
大地の底からつき出す力。人は皆この力を忘れている。
心情の中からつき出す力。人は皆この力を忘れている。
眼をあげて人の世の相を見る。
つき出すこの力を忘れて、死んだ火山のような冷たい生命のつきた人と人を並べて、
難しい制度をつくることによって地上の祝福を得ようとする。
眼を伏せて我が心の内をのぞく。
つき出す光を「迷える我執」によっておおい、
「ありがたい！」の涙と笑いとを失いつつ、
外に外にと幸福という屍骸をたずねて出でようとする。
けれどもけれども、ありがたい、ありがたい。
最大の声をはりあげて、叫び得るありがたいの実感。
強かった、強かった、
固まった地殻よりも、つき出る熔岩の力は強かった。
強かった、強かった、

罪のためにかたく鎖じた私の胸の鉄壁よりも、つき出す本願力が強かった。冷たく、固く、久遠劫来、私の胸に張りつめた鉄壁を見事メリメリメリーと打ち破って、ほとばしり出でたる「ありがたい！」の一語。


天地自然のありがたいを感ずる心。

親のありがたいを感ずる子供。

子のありがたいを感ずる親。

夫のありがたいを感ずる妻。

妻のありがたいを感ずる夫。

兄弟の、隣人の、師の、教え子の、全て物皆のありがたいを知る心。

その心が涙にむせぶ限り、言語の中から「ありがたい」の一言葉がなくならない限り、辞書の中に活用される語として載っている限り、私はその底を流れる力を信ずる。誰の口からでも「ありがたい！」とほとばしる。老少善悪、男女、賢愚、全て誰にでも「ありがたい」と出得る。


どんな場合、どんな人、どんな時にでもいい、「ありがたい」と感ずるその尊い心の奥、奥に奥にと深く入りたい。その底に徹底する時、洞徹《どうてつ》したもう光明にふれる。切れ切れに見えていた「ありがたい」をたった一つに繋ぐ力。

たった一つから八万四千に分かれ出る「ありがたい」。

人様の親切を通して見ゆる大慈大悲の如来の本願力。

親思う心を通して、その奥に見ゆる大悲の親の本願力。

咲き続く紫雲英《れんげ》の花を見ては、ある夕、ことに魂の故郷がしのばれる。

苦しい時にはやはり苦しい。けれどもその苦しさのままの中から吹き出して来るありがたい心。魂のどん底から「ありがたい」と吹き出したことのない人よ、「ありがたい」という一語の抹殺せられたあなたの生活に、どこに本当の光がある。どこに本当の安心《あんじん》がある。


どうしてもどうしても念願する。

たった一つの一番大きな「ありがたい」を知らせたい。

「ありがたい」と言い得る謙虚な心にならせたい。

かくて人の世は「ありがたい」と生き得た部分のみ本当に生きたのである。

末通った慶喜に人の世を暮らし得る者のみ本当に生きるのである。

最上、最大のよろこびとは何ぞ。

過去、未来、現在、三世全体を救われて如来と共に生きることである。

「となふれば恨みくやみの雲はれて　むねには残るしんじんの月」
「ゑ土ながらここもはちすのうてななり　弥陀たのむ身はねざめうれしき」
「うれしさを昔はそでにつつみけり　こよいは身にもあまりぬるかな」
「宿かさぬ人のつらさをなさけにて　おぼろ月夜の花の下ふし」
「行きくれて木の下かげをやどとせば　花やこよいのあるじならまし」

第五章　使命

自由人！　私の胸は
洋々たる大海を望むが如くである
未だ食うべき職さえ見出せぬ
ただ信仰一つをもって
都会へでも、田舎へでも
行きたいままに流れて行く
念仏たった一つ持って
信仰たった一つ持って
私には誇るべき学位がない
私には示すべき学問がない
たった一つの信仰を持って街に出る
洋々たる旭の東天に輝く大洋
静かに合掌すれば
煩悩苦患を突破して
如来と共なる満腔に充ちたもう法悦
ただ念仏となって出づ
出で行かんかな
念仏と共に

一　年頭

新年おめでとう
何度迎えても新年はおめでたい
すべてに物事の出発だという新しい爽《さわ》やかな気分と
努力したいという緊張をおぼえるから
底冷えのするような寒い元旦
静かな静かな室の中に電灯が淡く光る
若水を使って、仏前に合掌
読経すれば、み光、静かにゆらぎ、香の煙、乱れて昇る
下駄をはいて外に出ずれば
地は凍って、足音ばかり遠くまで響く
養専寺の御堂、本尊の前にぬかづけば
天蓋《てんがい》の電灯、淡くもれて、立ちます仏体、暗く光る

静かに合掌念仏すれば
又一年、生きのびさせられたる幸福を思う
絶対他力によって絶対に救われた者にとっては
生きるということは報謝することである
強いられた何ものもない
巨人の如く、高く大きく沈黙して坐せる鎮守の森の
真暗い、そして急な石段を幾十百階、手さぐりに上って
村社、八幡神社の神前にひれ伏す
ひしひしと日本人たる幸福を思う
三千年来、相伝の祖先のご恩沢が私の全部である気がする
雪花が散る
時に午前四時

若水汲《く》んで、用意された紙に書き初めをする。
「至誠而不動者未之有也」（孟子）
（至誠にして動かざる者は未だ之れあらざるなり）

清書なら書き変えができる。人生の清書は書き替えが出来ない。

至誠！　至誠！

至誠の二字が人生全体解決の扉の鍵である。

いくら行っても、いくら考えても至誠が足らぬ。あっと気がつけば虚偽になっている。虚偽になったら他人を責めたい。自分の心が誠でないということは、誠に値がないということではない。如何にかけひきの多い濁った世の中でも、至誠の通らぬほど感じにぶくはない。そうして、すべての至誠がそのまま受け入れられ感じられるほど清い人生ではない。

古来たくさんな偉人は至誠に生きようとした。けれど彼らの真意は認められずに、かえって呪われて流されもした、殺されもした。けれども彼らの撞《つ》いた鐘の音は彼等の死後に響き続いた。結局、彼等は人類の恩人であった。すべての至誠から生まれ出たことがそのまま報いられる世の中であるなら、偉人も賢人も聖者もないばかりか、裁判も警察も牢獄もいらなくなるであろう。

二　五周年記念大会案内

初桜の笑みそめる三月の末、二十九日・三十日・三十一日の三日間、待ちに待ったる五周年記念の大会を開きます。

会場　本村中央　養専寺

行事　一、毎日午前八時　説教又は講演

二、三十日　死亡同胞十二名のために追弔会執行

団員五分間演説　出演せんと思わん方は直ちに申し込み下さい

講演　決議　余興等

三、余興　活動写真等目下交渉中

各支部はなるべくご一緒にご来会下さい。遠方からご来会のお方には団員と団員でないとを問わず、宿舎の用意をいたしますから、なるべく早く申し込みを頼みます。団体のためには申し込みに依って（宿泊なさらない方）休憩所を用意いたします。

ご来会の時は、臨時本部に出て、それぞれその係にお問い下さい。

宿泊なさる方のためには実費（一食三十銭位）でお世話いたします。

講師　本年一月中旬から、済世軍総裁真田増丸先生にご依頼してあります。未だ確定いたしませぬ。近日の内にどうにかなるはずです。先生に来て頂けなければすぐ他の方をご招待いたします。その他に数名講演に従います。

本部では仕度《したく》に総がかりです。大変な前景気です。どうか一人でも誘ってご来会下さい。出来れば三日間、もしむずかしければ三十日一日でもいいからお出《い》でを願います。本団のマークがそれまでにできるはずですから、ご来会の時は事務所でお買い求め下さい。一個三十五銭位の見込みです。では是非おい出て下さい。本部総掛りでお待ち受けいたします。

広島支部ではお申し合わせの結果、二十九日午前八時横川出発の軽便で可部から徒歩、団体でご来会だそうです。加計支部から御在宅の方全部ご出席とのご通知がありました。近所の支部はもちろんお出でです。支部のない所の方も、どうか懐しい諸兄姉とお顔を合わせて下さいませ。では是非に。

三　涙の大会を送る――感激に始まり感激に終わる――

三月十八日。

昨夜、小河内《おごうち》支部の講演に行きて今朝かえる。今日は五周年記念大会について協議会のある日。村内組長様方、村会議員諸氏、村長様初め役場吏員の方々、その他の有志、相ついで来会下さる。午後一時開会。私は先ず私の所信を大胆に述べた。

「光明団は五周年を迎えました。そうしてただ一村の問題ではなくなりました。私一人の事業ではなくなりました。けれども私は村教育の重任のある身、皆様方は私に夜間と日曜とを光明団に使うことを快く許してくれるでしょうか。私はただ如来の御慈悲のために生きさせて頂きます。何を棄てても有縁の友にこの歓喜を分たねばなりません。本村の底から念仏の声が湧き出でてのみ、全ての事業も教育も生きて来ます。もし私が念仏の子たることがお気に召さねば学校はひかして頂きます。けれども、たとえ車ひいても念仏をこの村にもっと徹底させない以上、去らないかも知れません」

皆様のそれに対する御意見は、満場一致で「今、目覚めかけただけである。どうぞやめるどころではない、益々盛んにやってくれ」。一人の反対意見なく満場一致。ああ、満場一致、念仏なればこそ。重ねて言う。一人の反対意見なく満場一致。ああ、満場一致、念仏なればこそ。「光明団へ反対し、住岡を攻撃する者、それは直ちに我々を辱めるものと取ろう」との意見も出る。意気、天を衝き、話に花咲きて、うれしい感激の座談、二時間にわたる。

次に、「光明団と学校と兼ね持つ私に学校にてはかく勤めよの御注意があれば」。一つの注文も、御注意もない。何という御信用だろう。どうして学校がゆるがせになろうぞ。「然れば、五周年記念大会はかなり大きな計画を持っています。皆様にそれぞれ役員になって働いていただくことが出来ましょうか」。何で異論があろう。直ちに山本村長以下六名の総務はあげられた。村内ほとんど全部の中枢的人物は悉く役員に決定されて仕事の全部はその手に渡された。経費予算の議定、仕事、準備、事務の分担で日はとっぷり暮れてしまった。挙村一致、堂々たる五周年大会の幕は開かれんとす。

幸なる日よ、来る日来る日を不安に待った講師から電報。広島支部から電報。いよいよ三十日三十一日の両日、仏教済世軍総裁真田増丸先生御来会に決定する。

苦しかった五か年間、幾度泣いたろう。幾度棄てようと思ったであろう。食うことさえ出来まいと思う月もあった。大海の棄て小舟、全てに見放されたような淋しさの内にペンを取ったたお光であった。

月もあった。けれども、やっぱり強く〳〵はからわれてあったのだ。ただ力となりたまいしは

「一生あらゆる苦しさの内に、ただ一人、み光にふれて永劫の生命を知って下されば足りる」

それが、私の魂の礎《いしずえ》だった。

「継続は力なり」

私はずっと前に言った。再び思い出せる。いい修養を始める。けれどもそれがたった二、三日か、二、三か月かでおわると、それがどんないいことだろうと何にもならぬ。

「信は力なり」

我は刻々に変化する水泡の如き心の持ち主、そのわれの内にこそ如来は生きたもう。ほんとに全てはお光のなさしめたもうところである。

「われ生くるにあらず。如来我にありて活く」

全ての生ぬるい、いい加減な、思想や世渡りにその日〳〵を費やしていることが一日続けば一日だけの損失である。真実に！　真実に！　絶えざる生命の願いに生ききろうとする者は、我の内に白熱したもう如来の本願力に、不可思議の力と感謝とを与えたもうを知る。如来は我を我として生かしたもう。如来の光明の我が魂の底を流れたもうを体験した者のみ、生命の不退の創造の絶対自由を見出される。我生くるにあらず。如来我にありて生きたもう。

髪の毛の先、足の爪の内、煩悩に汚れあかづきたる魂こそ、それこそ如来の白熱したもう電燈のタングステンの線。我はこれタングステンの線、如来の電流流れて、白く輝く時、電燈は夜を照らす光である。タングステンは自ら光るにあらず、電流流れて光るのみ。電線なくしてどこにか電流があろう。貪欲、瞋恚のその内に流れたもうは如来、貪欲、瞋恚のそのままを生かしたもう。我は輝くにあらず。如来我が内に輝きたもう。何という力だ。義《はからい》なきままこそ最大の義《はからい》である。我を棄てて、小我の迷妄をはなれて、我を棄てさせられて、大我に生かしたもう。

我は現にこれ罪悪生死の凡夫《ぼんぶ》、造る所作、罪ならざるはなく、妥協も許さず、言いわけもいらず、念々これ地獄の業因、かつて一善もない。善を求め、真実を願い、恩寵に感激し、この心の内に懺悔《さんげ》の湧く。これ一つとして如来の慈悲によらないものはない。やまんとしてやめる能わず、棄てんとして棄てる能わず、ただはからわれて湧き出ずるままに、念仏より外に他の善も要にあらず、悪もおそるるに足らないままに、やむにやまれぬ念願に従って生きてゆくこそ、私のほんとうの道なのだ。

嗚呼《ああ》、あれを見よ！　ポッツ〳〵と永劫消えない灯の数は増して行く。何という嬉《うれ》しさだろう。又一人、又一人、仏の子ができる。

ああ五周年、全ては償われた。

挙村一致、大会の日は多忙の内に近づく。

三月二十七日、二十八日、本村五百戸を三等分して、準備と後始末に出て下さる。養専寺の本堂に掛座《かけざ》ができる。緑門《りょくもん》ができる。小さき町の装飾。会場内外の飾り付け、三日間不眠不休の人さえある。「済みませぬ〳〵。毎日〳〵」。幾十回くり返しても足らぬ。何故にあのたくさんな人たちは忙しい体を持ちながら、ソロバンを弾かないで働いて下さる。又しても感激の涙がこぼれる。愛する青年団員諸兄は、先日はポスター百二十枚をはるために自ら進んで出かけて下さる。それに今日は自転車宣伝隊を組織して、広島に、加計《かけ》町に、東北部に、三隊に分かれて勢いよく四十台が飛んで行く。かくて大会の全ての準備は了《おわ》った。残る問題はただ天候。会う人毎の口から「どうぞお天気がよければ……」とそればかり。

二十九日の朝は来た。昨夜来の雨、何となく雲ゆきが悪い。雨はやんだ。不思議に天候が変わってくる。開会前にはすっかりよくなった。初日にもかかわらず会場は来会者でいっぱいになる。晴れ渡った空には煙火が勢いよくパチパチと響く。橋本晃勝法兄と私とが壇に立つ。会場の内外、電燈、昼のように輝く。夜の講演も終わる。

三十日、いよいよ大会の日が来た。朝から参詣者がつめかける。午前九時半、真田先生来会せらる。来る、来る、人が人が。またたく暇に会場はつぶれる。会場の外、人の波で動きがとれぬ。その数、数千。やむなく会場係は第二会場を心配された。けれども幾分も収容されぬ。勤式《ごんしき》。団員の十二礼、拝誦。団歌の合唱で開会となる。「ただ今より五周年大会を開きます。我が光明団はただ感激によって生まれ、感激によって育って行くのみで……」。そのまま涙にくれて無言で壇上を去る。やがて真田先生の講演は始まる。何という静かな、そして盛んな大会だろうか。底力のある感動が会場にみなぎる。次に各支部の法兄姉立って熱烈に叫ぶ。その間、真田先生は第二会場にて講演せらる。

涙の大会。又しても涙が流れる。どうしても泣ける。事毎に私の魂は底から感謝につき動かされる。団歌を高唱して広島支部が来た時、互いに見合わす顔と顔、ただ結ぶものは無言の涙であった。やがて十一の諸法兄姉のみ霊の前に追弔法会は営まれる。白木の位牌の前、香煙縷々として昇る。森重閑月師導師となって登壇、読経の声、膓《はらわた》を断つ。やがて各支部の弔辞、生ける友にもの言う如く思わず袖をしぼる。追弔の哀しき歌を合唱し、遺族、各支部代表の焼香を了えて追弔会はおわる。続いて真田先生の御講演を聞いて昼の会をおわる。夜に入れば早くも会場は立錐《りっすい》の余地なく、先生の講演はいよいよさえて、幾度か割れんばかりの拍手、団歌合唱裡に散会する。

三十一日、夜あくるや否や、人々は朝の会に急ぐ。天気いよいよ晴朗。何というありがたい講演なのだろうか。一言一句、人の肺腑をつき、涙なくしては聞き得ない。酔ったのでもない。情をやたらにそそられたのでもない。朝の会はおわっても人々は去らない。ポツポツ数を増して会場にすしづめの光景である。三村氏、坂本氏、橋本氏、かわるがわる立って熱弁振い、途中、済世軍歌及び光明団歌を斉唱して、真田先生の講演となる。

明確な純一無雑な信仰を説き、徹底せる報謝の生活を叫び、政治にふれ、吾人の使命を絶叫する先生、説く人もなく、聴く人もなく、会場もなく、時間も知らず、全てこれ融和して一つの三昧あるのみ。「鞍上人《あんじょう》なく、鞍下《あんか》馬なし」。光明団大会は先生をしてこの講演をなさしめた。坂本氏は言う、「先生の今日の如き講演は大都会に於てもあり得ない」。何という恵まれた大会ぞ。先生、初《はじめ》に「あまりに大会すぎる」と言われる。けれど、「静かな盛んな大会」と言われる。

三十一日の昼の講演、如何なる者も心の底からゆり動かされた。

まさに終わりを告げんとする夜の大会も無事にすんだ。

四月一日の朝、名残りの講演である。ありがたい力のこもった最後の獅子吼《ししく》もおわる。

午後一時半、堵列《とれつ》して団歌を高唱して先生を送る。万歳、万歳、と連呼する内に自動車は動く。先生、車中帽子をふって又万歳を叫ばる。自動車は峠にかくれた。多人数にて会場の整理もおわり、人散りつくして、温かい春の陽は静かな田園を流れる。

大会は終わった。集まる数千の人の胸の内に様々な深い何物かを残して、五周年大会は了《おわ》った。

四　法難

突き出す力

「教員タルモノハ常ニ寛厚ノ量ヲ養ヒ、中正ノ見ヲ持シ、就中政治宗教上ニ渉リ執拗矯激ノ言論ヲナス等ノコトアルヘカラス」

冷たき九寸五分《くすんごぶ》は三方《さんぽう》の上にのせられて我が前に置かれてある。

「教職にいたければ、念仏の宣伝をやめよ！　光明団を続けるならば、教職を去れよ！」

九寸五分をとって美事腹を切ってみ光のために生きようか？

光明団を瓦壊《がかい》して静かにして平安なる教育界にいようか？村の一部落に忽然として少数の社会意志を代表する一青年は村当局に迫った。苦しい村当局を救うために一週間の暇を願って帰って来た。

誰もいない日暮れ近い音楽室に入って、椅子にもたれてじっと深く考えに沈む。仰いで天井を見るともなしに見つめれば、笑った悪魔の顔のような模様が見える。雨漏《も》りのために出来たシミである。尊い菩薩のような像、花、雲、死人の顔……種々なる思いがそれについて湧く。淋しい淋しい心が、灰色な空のように、深い山奥に一人はいったように続く。

「人生は孤独だ」

たった一人なのだ。最後という時、たった一人なのだ。

「どちらを行こうか」

どちらかを選んで進まねばならぬ。この人生の岐路に立った時、人はいちばんたった一人だということを深く体験する。誰が定めようもないではないか。もし人間が、寄せかけ寄せかけ迫って来る人間苦を、いい加減にごまかさずに、まともに見つめて行くなれば、もっと人生の本当を知ることができる。そうだ。苦はある意味において人間に与えられた尊い宝なのだ。苦の取り扱い一つで、豚にもなれば親鸞にもなるのだ。精神生活を忘れた人たちは、この宝を惜し気もなく棄てているのだ。

「教職を棄てようか」

無限の執着が湧いて来る。この生活のために十五年を費やして来た。そうして、この道を行けば（もちろん『光明』を棄てて）平安な、呑気な一生涯かも知れぬ。

教育界で雄飛する。ちょっと十年前、今将《まさ》に教育界に出るという頃の若い功名に憧れる自分を見出した。

教職を棄てる。自分の生活の革命である。かねて覚悟していたことではないか。それが今来たのだ。

子供。子供。子供の顔が一度に見える。先生先生とさわぎたてる教室の様が。皆桃色の心を持ち、桃色の声を出し、桃色の世界に住み、桃色に笑う子供が一斉に私の心をひっ捕まえてしまう。どうして彼等を捨てて去られようぞ。

無限の愛執が湧いて、うるんだ心になる。思わず涙は床板に落ちる。

この学校を去る。

満七年間、学校の隅々の木までが皆私のものであった。四年前に郷里から持って来て挿した箸《はし》くらいなポプラは、もう三間にもなっている。一生涯を捧げようとした学校の全てはほとんど僕の手を要している。それを今捨てるのか。

光明団を捨てようか。

そして、念仏を教壇の上に生かす。それが本当の念仏行者の生き方ではないか。それに私は何故に名利に人師をこのむのだ。小慈小悲もなき身ではないか。「牛ぬす人とは見ゆるとも後世者、仏法者とは見られるな」と教えられているではないか。たった一人永久に静かに彼の桃色な子供の純な鮮かな生命の音波を念仏のこの胸に受けて生きようか。

それに俺はパンの資《もとで》を失うではないか。忙しい生活を棄てて、本当の人間らしいゆとりのある生活、午後二時には授業がすむ、三時まで事務をとる。そして平和な家庭にかえって読書する。平安な生活ではないか。

何！　何！　何！

汝は平安な生活なら、どんなに生命のない生活でも、去勢された生活でも、妥協の生活でもいいのか。汝は、平安な生涯を求めて、言いわけをつくろうとしているのではないか。

「パンがなければ生きてゆけぬと？　それがお前の本当の声だったのか！」

お、、お、、

「お前が生まれて出た時、生まれる先に、お母様の懐《ふところ》には温い乳が用意されてあった。大空と太陽と緑の大地とが用意されてあったではないか。それから二十九年間、生きねばならぬ生命の前に、食うことを拒まれた一日の飢《うえ》さえあったか。生きねばならぬ間、食わされてある。

食わされる間、生かされる。生かされる間、食わされる」
それがお前の信念ではないか。
善と悪。平和と荒波。物質と生命。子供と同胞。魂の破産か！
世界がクルクル回る。
何も見えぬ、何も考えられぬ、何もわからぬ。我が魂は体をはなれて高く〳〵まい上がるのか……夢か……現か！　……お前はお前を信じて下さったたった一人、たった一人の淋しい魂を持った同胞の胸に信じられたお前までが、その感じ易い胸に、妥協とソロバンの外知らぬ万人にもまさる人の世の宝玉のような、その若人の胸に、お前までが焼きごてを当てて、人一人殺すのか……
夢か！　現《うつつ》か！
おお、み仏様
このたった一人の私に、今も現に、この私を見て泣いていて下さる
南無阿弥陀仏　南無阿弥陀仏
善も欲しからず　悪もおそれなし
全ての情実、批判、理論、そんなことの全て間にあわぬ生命のみの跳り
ほとばしり、不退に生きんと燃える、つき出す力

突然、
「生きよ！　突破せよ！　大死！
町の裏には淋しい魂がふるえながら
永遠の生命を得たさに震えているではないか！
山の奥の若人は、真実を〳〵と
学問よりも、教えよりも、名前よりも、もっと高価な何かを得たいと
青白く痩せているではないか！
死より忙しいことがあるか！
仏のみ胸に誕生するほど大きなことがあるか！
立てよ！
何でもふるい落として、猛進せよ！」

そうだ。私は自由を願う
この煩悩の中から飛び出す力、その力の権威をどうすることも出来ない
学校を去る
自由に如来の大悲を叫ぶのだ

それが善か、それが悪か、そんなことを問うほど心の隙はない
弥陀の本願力によって
全ての苦悩を突き抜けて、突き破って
野こえ、山こえ、三悪道を越えて
安養浄土に生まれることのできる不退の魂の前には
その行くところ、諸神諸仏は我を守り、鬼神は首をたれて尊敬する
魂の底からふき出す力
自然にほとばしり出る、どうすることも出来ぬ絶対命令

「念仏と共に自由に生きよ！」

学校をやめるのだ
もう一週間の後に返事すればいい
何等の重荷も苦痛もない心で音楽室を出た
私はこの学校を去るのだ
さっき五時すぎであった時計は六時すぎになっていた

（六月十五日）

魔風秋風

私は目的に向かって行動を急いだ。

「教職を棄てるのはあまりに惜しいではないか。一時光明団をやめて、せめてもう数年したら恩給がつく、それからでもおそくはない」

私にとっては早いも遅いもない、ソロバンを取る時にのみ、早いと遅いがある。

「あのように迫害されたら光明団ももう終わりだぞ。団員だと言っても一時湧いただけで本当に信仰に入った者は少ないぞ」

何という悪魔の誘惑だ。それならこそ、いよいよやらねばならぬ。かく言うその人こそ、一時騒ぎであったのだ。

私は、あの谷々の若い念仏の尊い兄姉の涙を信ずる。

種々の流言が妖精のように村を過ぎると、信仰なき凡愚の徒が、秋の野の尾花のように迷い騒ぐ。我が魂のみ常に緊張して、如来大悲をいよいよ嬉しく楽しく仰ぎ奉る。

野卑なる、反対の為に反対をなす徒輩、あるいは検事の入村など根もなき風評を放ち、村内各所に貼り紙をなす等、暴力をふるって人民を煽動《せんどう》す。

浮薄なる無信仰の徒、手段にのせられて動揺す。

余一人、法難に坐して、いよいよ如来大悲を信ずる者の力を知る。

運動は功を奏して、彼等の手より官庁の手に移る。

されど我はすでに根本を解決して大安心に住む。

鈴張《すずはり》支部大元仙林法兄、熱言もって我を励まし、特に雑誌『希望』を贈る。

「霜の降る時、強いて自然にさからって芽を出す枝を延ばすなよ、左に大きい岩があるならば右に廻れ、前につかえたら後に延びよ。人生にも吹雪がある。枝を折られ、葉を落とされ、死せるが如き淋しい姿を現わさねばならぬ厳冬の日がある。かゝる時こそ自己の内的生命を静かに静かに育つべき絶好の機会である。葉が落ちても悲しむな！　土の下には生まれたばかりの赤ん坊がふるえている。落葉は蕾の精のお布団だ！　葉が朽ちても悲しむな！　土の下には生まれたばかりの赤ん坊がお腹が空いて泣いている。落葉から蕾の精のお乳ができる」

生まれた赤ん坊ももう五歳になった。ことさらに波乱を起こさんがために、破壊せんがために暴力をふるう彼等の手で、盛んなる者を嫉む俗悪なる彼等の手で、小心なる彼等の手で、五歳になった念仏の子を殺すことができるか。

力

「異安心、半自力半他力、疑心往生」

曰く、
「キリスト教の宣伝者」
私はことごとく皆、言いわけをしない。
ただ、怖ろしき者は去れ。
往生は光明団によって定まるのでもない。
済世軍によってでもなく、寺院の説教によってでもない。
ただ弥陀の本願力によるのである。
仰げ、ただ弥陀の本願力。
信ぜよ、弥陀の招喚の勅命を。
信仰は一兎毛《うのけ》のはからいをゆるさぬ。
宗教ははからいにかためたものではない。
言を捕らえて攻撃の材料を得んとするならば、如何なる人にもあるであろう。
犬は遠く吼えて、しかも正々堂々来たるを得ない。
もし正義の士、本当のみ仏の子ならば、何故に言をつくして教えてくれないのだろう。
我は弥陀の本願力に乗託《じょうたく》して一道を歩むのみ。

「君が今、せっかくの教職を棄ててあらゆる苦戦をしても、団員がついてゆくか否かはわからないぞ。光明団のためとて、教職は棄てた、光明団はふるわず、その時、君はどうする。まあ、悪いことは言わぬ、教職にいたまえ」

御親切はありがたい。私の決心を外にして本当にありがたい。

けれどもたった一人だ。

「たった一人」

これほどなつかしい言葉はない。

「愛は、この孤独から生まれる」

私は私の生命の一道を歩めばいい。

一緒に歩む方々が多いのを望みもせぬ。

けれども人一人の歩みが真実であるならば、それは常に万人の道の開拓であった。

私はただ一道をにらむ。

私は途中で斃《たお》れるかも知れぬ。

誰でもいい、私の屍《しかばね》を越えて行かねばならぬ。

といって、私はただ聖親鸞のみ後を追うて行かせてもらうだけだ。

「平凡人の生活は楽しい家庭の内にある。
偉人の生活は悲惨なる孤独の内に生まれる。
平凡人は楽しまんがために生まれている。
偉人は苦しまんがために生きている。
十字架を負わんがために生まれている。
愛に生ける革命家は何時も孤独であった。
人類を愛した革命家は人類の刃に斃《たお》れた。
古来彼等は彼等の恩人を敵として滅ぼした。
第一の鐘を打つ者は常に兄弟の呪詛《じゅそ》を浴びせかけられた。
絶望のなき所に希望なく、哀傷のなき所に法悦はない。
罪のなきところに義なく、暗のなきところに光はない」

私の手帳には何からとったか、何時書いたか、こう書いてある。
私はもちろん凡人である。家庭の楽しい生活を思う。
けれども苦しい生活にも堪え得る自信をもつ。
偉人でなくて凡人である我は

歴史の上に燦《さん》として輝く偉人たちの殉教をまねるほどの馬鹿ではない。
けれども、多くの偉人の血は永久に地上に流れているを思う時
限りなく鼓舞せられ、激励せられる。

私は間もない内に教職を捨てる。
たった一時間にして解決し得た。
何という小さい試練だ！
何という小さい試練だ！
その昔、吉水教団の血の色を思う。
法然上人、親鸞聖人の如き念仏に生きたもう方々が中心におられてさえ
教団は木葉《こっぱ》微塵にくだかれた。
宮中の女官、松虫鈴虫を出家せしめた時
女をたぶらかす悪魔の集団として惨めな悪評の的となったであろう。

大正の聖代、帝国憲法は
安寧《あんねい》秩序をさまたげず、臣民たるの義務に背かざる限りに於て

信教の自由を認め、言論、著作、集会、結社の自由を許す。
ただいたずらに嫉み、憎む徒輩のなすべき手段は
人身攻撃と異安心呼ばわりの二途あるのみ。
以て未決定、凡愚の徒を誘うべきも
信心決定せる不退の行者を動かすことが出来ようか。

たった一つ信仰をもって

自由人！
私の胸は、洋々たる大海を望むが如くである。
未だ、食うべき職さえ見出せぬ。
ただ信仰一つをもって、都会へでも、田舎へでも、行きたいままに流れて行く。
念仏たった一つ持って
信仰たった一つ持って
私には、誇るべき学位がない。
私には、示すべき学問がない。
たった一つの信仰を持って街に出る。

もし学者でないが故に、共に極楽往生の伴侶たることを嫌がる智者があるなれば
かかる智者をさけて、一文不知のおばあ様と一諸に如来の恩徳を讃仰しよう。
学問もしたい。
けれども私にとっては学問は遊戯である。
一生涯の趣味として、遊戯として、学問もしよう。
弥陀の光をぬきにしては私には何もない。
念仏以外の全ての営みは、なくてはならぬけれども、第二義であるから。
洋々たる、旭の東天に輝く大洋。
静かに合掌すれば、煩悩、苦患《くげん》を突破して
如来と共なる満腔《まんこう》に充ちたもう法悦、ただ念仏となって出ず。
出で行かんかな。念仏と共に。

情にかえる

さはさりながら、我も人間の情にかえる時、可愛いのは子供である。
おん身たちは不幸の子よ。
何時までも何時までも育ててあげたいと思ったのに

心を鬼にしておん身たちと別れねばならぬ。
親はなくとも子供は育つ。
ましてや、怠惰なる、無能なる我について学ぶよりも
勝れたる師について教えらるる者が幸かも知れぬ。
けれども我は愚なるにもせよ、君たちが可愛いかった。
その君たちと別れて出て行かねばならぬことは堪え難い苦である。
君等を思うて、どこでか泣いていよう。
大きく育ってくれ。健全に育ってくれ。
お父様やお母様から、み仏様のことを聞いてくれ。
先生は、皆のような時には、おかしいほどのみ仏様の子であった。
若い芽生《めばえ》に霜が降るな。
霜が降ったら若芽が枯れる。
温かい縁にふれてのみ若葉が育つ。

汚いこの一室

コの字型になった校舎の西南隅の一室、たった八畳のこの一室。

雨ざらしになった板戸が六枚立ってあるこの一室。
床には白紙で貼られた、ビール箱を積み重ねた本箱が、私の好きな本で充ちている。
机が南のガラス窓に向けて置いてある。
この粗末な一室は、私の書斎であった。
寝室でもあった。食堂でもあった。
私は六年間、この室《へや》で暮らした。
読んだのもここである。書いたのもここである。
訪ね来られし法兄法姉と法悦にむせんだのもここである。
この室《へや》は私を今日まで育てた尊い道場であった。
俗界を離れた田の中の一室、時には十日も二十日も出ないでいたこともあった。
前に開けた田の緑と、向こうに立つ森山とは、私の毎日の友であった。
森山は、三百六十五日、毎日々々新しい装いをして私をなぐさめた。
原稿を書く手の疲れた時、頭をあげて森山を見れば、薄紫な冬の梢の色は
何時とはなしに水色、黄色、紅色、緑に変わって行っている。
森山よ。お前は沈黙せる友であった。
けれども一度だって我を失望させたこともない友であった。

お前は、春夏、秋冬、永久に日々装いをかえ
雨に、霧に、靄《もや》に、雪に、無言に立っていることだろう。
そうしてそれを見る私は、近い内、ここを去るのだ。
粗末なるこの室でも、一生の重大な時を比較的有意義に過ごさせてくれたこの室。
「あの頃」の言葉を使って過ぎし昔を追想せねばならぬ時
この室はきっと私の眼底に浮かんで来よう。
さらばよ、この室。

往生の夕べまで

かくて余は、見事九寸五分を取って教職に死して念仏に生く。
光明団生まれて五年、ここに血の歴史をつくる。
いたずらなる言葉をさけて、ただ進もう。
黙々として生命の一実道に精進すれば、苦しむも可なり、斃《たお》れるも好し。
同胞諸兄姉！
余は、往生の夕べまで、この毎月の音信を書いて、諸兄姉の机上に捧げねばならぬ。
秋風一度吹いて、惰眠をさます。

法難に坐してそぞろに身のひきしまるをおぼえる。

幸なる哉、五周年にしてこの光輝ある歴史の一頁を作る。

ただ念仏

事おこってここに約一か月、その間、本団員諸兄姉の活動を見るに、暴力に報ゆるに暴力をもってしなかった。法難に会って益々法義相続した。「連盟して官庁への運動、団結して報復運動をせよ」。けれどもそれよりもっと魂は忙しい問題を見つめていた。歩武堂々、ただ白道《びゃくどう》の歩みをつづけた。そうして事は静かに、穏やかに運んで行く。

私たちの前におかれた問題はあまりに大きい。

全ての理論と、妥協、生温《ぬる》さを廃して、ただ進まねばならぬ。

悲惨なる社会のどん底に、変な文化の中毒に魂を見失った社会のどん底に、そこに精神的革命を願っているいたましい同胞が、何かを求めている。私たちの行くべき道、行かされる道、それははっきり見える。

行かん哉。進まん哉。

悩みもした、苦しみもした。

泣きもし、泣かされもした。

けれど、念仏しよう。ただ念仏しよう。
そこにはもう何もない。

「となふれば　うらみくやみの雲はれて、胸には残る信心の月」（蓮如上人）

五　濁水奔乱

急に雨が篠《しの》つくように降りました。風さえ加わって。
支流の水は急に増しました。
家を流し、石垣を壊し、田を河原にし、大小の橋を皆流してしまいました。
清らかに湧き出る井戸の水、それも水であります。
狂乱の河水も水であります。
真如法性の清水は如来のみ胸に湧き、怒濤《どとう》狂乱の濁水は私の胸にさかまきます。
あの河の水は、そのままが海にそそぎます。
けれども海は緑に澄んでいます。

「尽十方無碍光の　大悲大願の海水に
煩悩の衆流《しゅりゅう》帰しぬれば　智慧のうしほに一味なり」（『高僧和讃』）
（島地一一―一二六、西五八五、東四九三）

濁った支流は大事をおこしながら、太田川となって、瀬戸の海に入ります。海はそのままをみんな自己にしてしまいます。私は煩悩の濁水さかまく河であります。如来は大悲大願の海水であります。

このまんま流れたとて、流れたとて、澄みませる如来のうしおに変わりはありません。

このまんま、このまんま、智慧のうしおに一味とはありがたいではありませんか。

今日の新聞に、有島武郎さんが他所の奥さんの首をしめて情死した話が、出ていました。

六　使命

一、使命

飛行機が勇ましく爆音立てて空中に昇れば、一時もとどまることをゆるされぬ。彼はただ進むことをゆるされるばかりである。一時でも停止《とま》れば落ちねばならぬ。種子を一粒土地に播《ま》けば、彼は芽を切らねばならぬ。もし芽をきらなかったら彼は腐っている。播かれた種子は芽を出すか腐るかである。芽を切ったならば太らなくてはならぬ。太らなくなった時、彼は枯れる時である。

光明団。彼は芽を切って五年、五年間太って来た。彼の「生きん生きん」と燃え立つ力は、根をはり、枝をのばして来た。彼も育ち太らなくてはならぬ。育たなくなった時、枯れなくてはならぬ。

光明団。彼は「生きん生きん」と燃えている。育つために根をはり、枝を伸ばしてゆきつつある。

悪魔でもない、聖者でもない、ただの人間、平凡夫が、真実の一道をにらんで突き進んで行こうとする時、行きづまらねばならぬ、そこに必然の結果は、地獄一定の全否定であった。行きづまったそのままにすすり泣かねばならぬ者の暗黒は、そのままを救う慈光に接した時、闇は光に変えられねばならなかった。

そうして再び涙は新しく流れた。更生の涙、感謝の涙、それは生かさせたもうみ親の本願力のありったけであった。万人の生かされてある力、久遠劫来、そうして尽未来際《じんみらいざい》、我の本質に触れて、我を生かしたもう力。その力にゆりおこされて、新しい生涯に出でた者は、必然に結ばれてあった。然り、必然に生まれ出ていたのだ。生まれ出た子の使命は何か。ああ、光明団の使命は何か。こう書きかけると、自然に胸は躍る。

使命を語る前に私は次の如く問わねばならぬ。

・日本人には無宗教の国民が多いではないか。無宗教とは文化の低級なことである。
・無宗教は淑女紳士の恥辱ではないか。宗教を否定したり、無宗教でも何ともないほど魂が物質の中毒を受けているものを、本当の紳士として安心してゆるすことが出来ようか。
・無宗教なほど真実ということをにらんだことのない人、「真実」と口に言いながら、救いなくして平気でいられるほど魂の麻痺した人が、完全なる人として立ち得るか。
・あなたは、あなたの魂の内にささやきたもうみ仏、救済の泣《きゅう》血《けつ》のみ声を聞いた事はないか。聞いたことがないほど魂の内なる声を聞くことを忘れているのか。
・あなたはあなたの魂の内に、白熱したもうみ仏の大威力、生かしきって下さってあるみ光を仰いだことはありませんか。この光に育てられながら無自覚であるほど、あなたは大我の生活を忘れている。
・全て真実に二つあるものではない。宗教も、邪教偽教、方便権化の宗教を取ってしまったら、真実と名のつくものはたった一つしかないはずです。そしてそのたった一つの真実宗教は、ただ真宗だけだ、ということに気づいているか。

私はそれだけを言っておかねばならぬ。そうして、救われた私たちの使命を考える。

念仏を称えてスタスタと歩む。それで何も解決する。我々の使命は無言に語られている。単なる倫理運動の団体でもない。別して功利的の団体でもない。勢力をたよって無理暴力を振るう団体でもない。我々が無言ににらむものは議論の遊戯ではない。冷たい文句の研究でもない。生きた信仰である。生きた信仰によって結ばれて立ったのである。

光明団にはお世話の中心はいるけれども、皆、同胞で、平等で、権力によって支配されているのではない。真宗の団体だから、師と弟子ということがない。先に進んだものが遅れた方の相談相手となる。けれども、師匠と弟子などの関係は毫《ごう》もない。皆みんな兄弟である。誰も光明団で金儲けする者はない。営利資本ではない。ゆるされた者から、ゆるされた者から先に立ってお世話する。

こうした色彩を持った光明団は、教主を頂き、縦の階級関係のある教団ではない。信ずる者の横なる団結である。何時の時代でも共同団結は力である。念仏の子の団結である。その団結力を持って無宗教の混沌社会にぶつかって行くのである。如来大悲のお役に立って、団結の力をもって、如来大悲を宣伝しようとする。誰か一人のために出来たものではなくて、一人一人の者がそれぞれに「自分の光明団」と自覚せなければならぬ団体である。
現代、そうだ、全ての機関が、特に真宗宣伝の機関が至れりつくせりに備わった現代に、光明団の存在すべき理由があるか。「ありと信ず」と言いきる。そうして、その説明を省き、それに対する考えを次にゆずる。

法兄法姉よ。救われた者が、救われない者に働きかける。
それはあまりに当たり前ではないか。

▽「本当のものであるなら宣伝を要しない。自然にはからわれて宿善開発《しゅくぜんかいほつ》して弥陀他力の信にいる」
こう言ってしまえば何もない。けれども、魂はもっと深い世界に突入して、救われたこのままで独りで喜んでいるには、あまりに大きな力に動かされているではないか。

▽「宣伝するにはあまりに自己の醜さを知らない」
そうだ、あまりに自己を知らない。けれど醜さは、醜さに目覚めて、その上に投げたもう、慈光の尊き「このまんま」を救いたもう血に洗われているではないか。

▽「宣伝しては悪い」

それすら小さい自分のはからいでしかない。罪のこのまんまをつき出す力。せねばおられぬ強い念願があまりにはっきり自分をつき動かすではないか。全てこの力に突き動かされた者が血みどろになって過去地上の文化を作ったのではないか。

釈迦の口を閉じよ。キリストの口を封じよ。孔子も、ソクラテスも、口を緘《かん》せよ。親鸞の口、日蓮の獅子吼《ししく》、山陽の筆、シェイクスピアのペン、それ等をすべて棄てさせて、いったいあとに何が残る。何も知らず、ただ如来大悲をはっきりと信じ得た庄松同行の一言一句は、今の世の光ではないか。

▽「宣伝によって、魂が空虚になることが寂しくはないか」

小さい人間のはからい。空虚になれば充《み》たされればいい。

かくて光明団は、念仏に救われ、念仏によって結ばれ、念仏によって濁流の社会におし出して行く団体である。同心同行の者が互いにふれあって、不退に信仰生活の向上を楽しむ団体である。団の生命はただ念仏である。念仏による白熱である。切れば血の出る生きた力のなくなった時、容赦なく改造し、破壊する。

二、熱

光明団には何が欲しいのか。曰く、会館。しかり、会館が欲しい。会館が欲しい。けれども会館よりももっと欲しいものがある。地上はあまりに魂のぬけた会館で充ちている。魂のぬけた建物が何になる。建物が要る。けれどもそれよりももっと急いで要るものがある。

金が欲しいか。金、そうだ、時代は金の力で動く。地獄の沙汰も金次第。けれども、しばしば、全ての人も団体も、腐敗してくるもとは金である。金は欲しい。けれども金よりも先に欲しいものがある。

努力家か。えらい肩書のある方か。いいえ、いいえ。事業する時、発展する時、努力家や肩書ある方があればどんなに便利かも知れぬ。大きいことができるかも知れぬ。けれども私たちは単にそれだけでは足らぬ。一文不知の老女の中にすら見出せるある力を求める。肩書を頼りにしていたこともあった。学力を頼りにしていたこともあった。金満家だから頼りにしていたこともあった。けれども「すわ鎌倉」という時、それだけでは力ではなかった。

道を歩いていた。畑の中に立って仕事しているおじいさんと会った。互いに見合わす顔と顔、その間に流れる無言の千言万言。どちらの眼にも浮かんで来る涙。おお、その涙。その熱い熱い無言の涙。その涙の光るその奥に見えている深い深い力。その力によっておこされた熱。私はその熱を欲する。

熱のない者よ、世間体と義理とのために先頭にとどまってはならぬ。皆が行くことを妨げる。飯室《いむろ》の天地にみなぎる熱を思う。夜、雨の中を一里二里と行っても何ともない熱を思う。月の夜、峠の中、別れてゆく一隊が高唱する団歌が松並木の間に消えて行く。その後に残る余韻にふくむ熱がなつかしい。「信心の酔いのまわるものは五種正行の舞いをまう」。世の中は「のぼせた」と言うであろう。「狂気だ」と言うだろう。けれども何故にもっと酔いのまわった狂気者が出来ないのだろう。何と言われたとて平気で歩める熱烈さがほしい。女でもいい、男でもいい。学問はなくてもいい。身代はなくてもいい。夾雑物なしに大悲に白熱した人がほしい。

私は常に、国のおきてをもって念仏が禁じられてあった薩摩の同行の熱を味わう。時には念仏の村が数十戸も一度に焼かれた。時には隠れて本願寺参詣をした者が打ち首になった。けれども薩摩の法難の中に生きた妙好人たちは、あるいは山に隠れ、物置にひそんで、如来大悲を讃仰した。番役と称する人たちは声をひそめ、涙をのんで、人から人にお慈悲を伝えた。慶長年間から明治まで三百年、三百年の間、法灯を社会の裏につないだ力は、ただの冷たい知識からではなかった。骸骨のような議論ではなかった。生きた信仰からほとばしり出る熱であった。

本当の熱のある時、建物は何だっていいではないか。たとえ天を突く楼閣だって、集まる人を失った時、それはただ廃墟である。主人を失ったあの寂しい天守閣とどこがちがうのだ。天守閣は、歌や詩の材料ではあっても、今の世の力ではない。吉田松陰の、皇国を憂い、時勢憤慨の熱で動いていた、あのわずか二間の松下村塾からは、天下を動かす力が出たではないか。

荒んで行く社会を見て狂い出る熱の子はないか。わずかに老人によって保たれている真宗の現状を見て、飛び出してくる熱の子はないか。生活や衣食を気づかうことなしに、みんな大悲にまかせきって、悠々、濁乱の社会の裏をつきすすむことのできるゆるされた念仏の行者はないか。

私の頭には、もっと強さを、もっと熱を求めている。とにかく議論なしに熱を求めている。何時の時代でも熱のある者のみに新しい舞台が与えられる。私は悲観しない。如来の智慧光に白熱したもう諸法兄姉を頭に描いて、次から次と指を折ってみる。三人、五人、十人、そうだ、十人あれば足りる。熱のある者は五人前できる、十人前できる、百人前できる。「できるものかい」と議論に日を暮らす人よりも、黙って立って熱で行く人が何かをやる。

熱の世界は輝いている。燃えている。動いている。何かを常に建設している。ある意味において、世界の全ての文明文化は熱の人によって造られたのだ。地上から過去の熱の人を除いたら何という淋しい事になるだろう。しかも熱の人は何時の時代でも狂者と見られた。彼等は自己の道を他人によって定めようとせなんだからである。生一本に、熱情に生きた。時々に応じて、風の吹きまわしで、いい加減に生きなかった。道はたった一筋であった。自分の損になる時も道を変えなかった。命を棄てねばならぬ時でも道を変えなかった。唯、進む一方だった。

一人の人が生一本に生きて行く時、きっと凡人が寄ってたかって引き落とすことに力をそそぐ。たいがいは平凡線に引き落とされる。時々それをうんと突き放して突破する者がある。突破して無碍の道味《どうみ》を味わった者はうなずける。引き落として平凡線にとどまらせようとする力は、常に自分の力よりは弱いものだ。

味わい方を違えて言えば、行く手はるかに大波が見える。たいがいはその波を見て行かれないものと決定する。熱の子は、その大波に突き当たる。突き当たったその瞬間に、その波は消えている。行く手はるかに、大山が見える。議論の子は大山を議論の種にして進もうとしない。熱の子は、すぐその大山に歩みを続ける。歩むことそれ自身が問題である。大山につきあたるその一瞬間、大山は消えている。

かくして熱の子は、幾度でも試練に向かっては突進する。私にはその力はない。けれども私には大悲白熱の力がある。無碍の一道を進ませられている。そこには何の碍《さわ》りもない。行くところ、何物も砕けているはずである。

頭では誰でも知っている。それなのにどうしたのか出来ない。そこには足りないものがある。熱である。私は熱を愛する。熱の人を求める。熱のない大学出より、熱のある小学校しか卒業しない青年に大きい事ができる。

重ねて言う。熱とは涙もろい性癖を言うのではない。線香花火のようにパッとする人でもない。如何なる苦しさとも戦って行く底力のある人である。小さい事にすぐ動揺しない人である。熱心な人である。熱烈な人である。「その速きこと風の如く、その静かなること林の如く、侵略すること火の如く、動かざること山の如き」人である。

熱の人を要求する。熱の人のみに全てを解決する秘密の鍵が渡されてある。

三、無言の歩み

色々な理由によって、色々な意味において、苦しい迫害と非難とを受けて、血みどろになって歩みを続けている法兄法妹に、心からなる同情を捧げます。けれども私は愛する同朋の胸に送らねばならぬことがあまりに多い。

(1) 人より一歩進んで歩む者は、きっとおくれたものの攻撃を受ける

新しく純真なる魂の念願によって生まれ出たものには新しい生命が流れる。けれども何でも時がたつと、熱がなくなって、生命が枯れて、形だけが残る。形や型ばかりが残ると、今度はその型の中に人を入れて型にはめようとする。けれども人は何時までも型にはめられていることが出来なくなる。聖親鸞は叡山、南都の宗教がただ形ばかりを残して生命の枯れたものであ

ることに気づいた時、山をけって生命をたずねて出て行った。
叡山も南都も、ただ経典の研究や、外見は僧侶でありつつも、あるいは僧兵となって荒れまわり、戒禁を破って女色に耽った。そうして、ただ既成宗教は現世祈禱に堕落した。

「かなしきかなや道俗の　良時・吉日えらばしめ
　天神・地祇《ちぎ》をあがめつつ　卜占《ぼくせん》・祭祀つとめとす
五濁邪悪のしるしには　僧ぞ法師といふ御名を
　奴婢《ぬひ》・僕使《ぼくし》になづけてぞ　いやしきものとさだめたる」

（島地一一―四〇、西六一八〜九、東五〇九）

五濁悪世のしるしに、僧とか法師とか三宝の一つに数えられる尊き名を、坊主とか尼とか称えて、人に使われる奴婢僕使に言ってしまう有様だった。

「仏法あなづるしるしには　比丘・比丘尼を奴婢として
　法師・僧徒のたふとさも　僕従ものの名としたり」（島地一一―四〇、西六一九、東五一〇）

こうした有様は今の世にはないか。僧侶の尊厳は失われ、僧侶の生活は堕落し、生命のぬけた殻が残って、わずかに権勢を徒党にたのみ、存在を祈禱につないでいる既成宗教に、何で真実の一道を歩みつづけようとする聖親鸞の魂がつながれたろう。ここに一切の殻を破り、化城を棄てて、生命を求めて進んで行かれた。何時の時代でも、今までの殻を破って、新しい型に自己を生かしたものは、きっと非難と攻撃の的でなければならなかった。

(2) 光明団は不必要か

私は答えに苦しむ。必要かも知れぬ、不必要かも知れぬ。ただ、私たちは結ばれることを強く念願する。何のやましい心もなく、理由もなく、大きく育てたいと念願する。強い念願の前には、何ものをも突き破って行く力がある。念願に生ききらねば、この自分の燃ゆる魂をどうすることも出来ぬ。

「光明団はいらぬもの」とか、何とかかとか、その批難を謹んで傾聴する。そうしてもし私の魂に「さても」とうなずくほど道理の上から教えらるるなれば、何時でもやめる。又悪い所があれば容赦なく改造して行く。けれども、批難のための批難、攻撃のための攻撃、感情上の反対ならば、私は、戦うことなく、言いわけすることなく、無言に歩む。

ただ一つ考えておかねばならぬことがある。それははっきりとある念願が若い魂の上に主観となって表れるということは、それがすぐ時代というものの力であることだ。「時代が生む」、そこに自然のはからいがある。時代が要求しない時、決してそれを入れる余地はないはずである。私たちはもっと深く次のことだけは考えておかねばならぬ。

私にとっては、光明団が大きくなるか小さくなるか、それは一向に関するところではない。

もし、如来聖人のみ胸にかなわぬ時、生まれるものではない。生まれたとて大きくなるものではない。何時でも、魂の消えた、光のなくなった廃墟は亡ばねばならなかった。力強く言いきる。もし大悲のみ胸にかなうなれば存在せしめたまえ。もし、み親のみ心にかなわぬ時、きっと亡びゆくであろう。

「仏法は無我にて候」、よし大きく育ったとて、我が名誉でもなければ、あとかたなく亡んだとて、不名誉でもない。その結果を問うことなく、一切の予想を高く築くことなく、ただ、魂の念願なるが故に、一道を見つめて生ききらねばならぬ。そうだ、生ききらねばならぬ。結果はもとより考えるところではない。

非難する者があったなら、信心決定の人であるか、いい加減に世の中を渡る人であるかを考えて見る。いい加減な人や、何かえらいものを持っている方であるなら、よく言われないことがほんとである。謹んで、喜んで、黙って、ただ一つの光を目あてに進んだらいい。もし、心から親切に教える人があるならば、謹んで喜んで教えを受けて進めばいい。

もし、それ、新しき道を歩む者は苦しいけれど、意義のある緊張した生活をせねばならぬことは言うを俟たないことである。苦しく生きることのそれは、時によって人の子の求めねばならぬことである。「豚となって安らかなのがよいか、仏となって苦しいのがよいか」、もし目覚めたる人であるならば、苦は問題ではなくて、真実の生活こそ問題でなければならぬ。何も求めることなく迷いの生活を続けている者から、批難されたり、迫害されたりすることは、ようく考えて、しこうしてニッコリと微笑んでもいい。

苦しくてもいい、楽しくてもいい。如来大悲は時に、苦楽を超越せしめたもう。行こう行こう、無言に行こう。「憂患《ゆうかん》に生き、安楽に死す」。それが我々の本望である。

かつて狂者によって持たれた三毒の利剣は、今や、大悲のみ手にもたれてある。

忘れてはならない。何を。今日一日の歩みはみ仏によって生かされてあることを。今日も念仏はあったか。そこには善悪をとびこえた絶対自由の世界がある。ここを歩む。ただ、自分が行じながらも、自分のはからいがない故に非行と言い、我、称えるに似たれども、我がはからいにて称えるのでないが故に非善という。非行非善の第三世界を、み親によってつき出されて、一時もとどまることなく、永劫のかなたに進み続ける。

心はいつしか大悲の温かきささやきによって充つ。

ただ、南無阿弥陀仏。

(3) 無言の歩み

大小の批難攻撃に対して、二つのとるべき道がある。

一つは、一切の批難攻撃誤解に対して、一一に言いわけをして通る行き方である。批難には弁解を用い、攻撃には攻撃をもって報い、誤解には釈明をもってするのである。この行き方もよい。口には口をもって、腕力には腕力をもって行くのである。

いま一つは、一切の批難攻撃誤解に対して、ただ無言に歩む行き方である。

単なる無抵抗主義でもない。無抵抗主義とは、お金を取るものには取るにまかせ、たたくものにはたたかせ、切るものには切らせ、全て忍んで、苦しんで、何にも、誰にもはむかうことなく、なすにまかす聖者の道である。これを言うのでもない。

無言に歩むとは、世を恐れ、人を恐れて、神経質の人のように、心でくよくよ思いながら、泣き寝入り式に、残念遺恨を胸にたたんで、世をおそれ、社会をおそれ、人の学力、地位、金力におそれて、ただ黙ってしまう卑屈者になれと言うのでもない。無言に歩むのである。無言に止まるのではない。口を封じて一道に精進するのである。人を相手としないでみ仏を相手とするのである。念仏を称えて、み仏と共に、ニッコと笑って白道《びゃくどう》の無碍の味を体験するのである。真実の一道をはっきり見つめて、真実の一本道を生きるのである。

真実の一道とは、念仏を信ずることである。念仏を信ずることそれ自身が絶対善である。真実の一道である。念仏の子が念仏を称えて、貪瞋《とんじん》の煩悩の中に湧き出す、消そうにも消されない、止めようにも止められない念願のままに、念仏と共に歩むのである。「念仏と共に」。その五字が一切の解決である。

我が苦しむ時、衆生苦悩我苦悩、如来は共に泣きたもう。我がほほえむ時、衆生安楽我安楽、如来は共に笑みたもう。我は善悪の二字を知らないけれど、み仏のみ善悪を絶対に知りたもう。そのみ仏のみ心にふれる時、何もいらぬ。批難、攻撃、誤解を一一に相手にしているほど心に暇があろうか、すきがあろうか、み仏のみ心に直入すれば、そこに一切の間にあわぬ、一切の用のない、無言に進み得る別の世界がある。

無抵抗の聖者の道でもない。あきらめでもない。泣き寝入りでもない。全くの別の世界である。無言のままに、叫びたければ誰をも恐れず叫ぶのである。行きたければ誰はばからず行くのである。言いたいものには言わしておけ。それに関わっているよりはもっと忙しいことがある。笑うものには笑わせておけ。それを気にしているよりはもっと忙しいことがある。

他人のことではない。自分の魂の問題がそれよりもっと忙しいではないか。盗賊が盗賊を嘲笑う、それが世の中の、自分を一度も見ない人の様ではないか。私たちのように、現に罪悪生死の凡夫、曠劫より已来迷い続けている者にとっては、一切があまりに大事ではないか。何も言っている暇がないではないか。そして、愛せねばならぬ隣人の大方は、まだ、何も知らずに火宅無常の世界でそらごとたわごとをなしつづけているではないか。

あまりに時間がたつのが早い。あまりに日が暮れるのが早い。寝ていたら誰もたずねては来ないではないか。それに私たちの命はあんまり短い。全てがなまぬるい。なまぬるい〳〵。道端の暇な人間のいらぬ口にかかわって、止まっていてはならない。ただ信ずる一道を無言に歩むのだ。町も、里も、山奥も、念仏の道場は荒れている。若い者が奮い立たねばいったいどうなるのだ。

止まるのではない。
歩むのだ。
無言に止まるのではない。
無言に微笑んで歩むのだ。
進むのだ。

七　師走雑感

年末

山県郡の奥でお炬燵にあたりながらペンを持つ。手水鉢の水に薄氷を見る。家の屋根、畑の大根葉、垣の側の黄菊の上には、真白い霜が雪のように朝日に輝く。冬が来た。淋しく木の枝に残る紅葉、紅に染まった柿、秋は凋落のどん底に沈んで何とのう涙ぐましい悲哀に打たれる。大正十二年は間もなく去る。

苦しい一年だった。思い出多い一年であった。多忙な一年であった。変化に富み強烈な刺激に充ちた一年であった。けれども私の一生にはなくてならぬ貴重な一年である。ただ感謝する。じっと眼を閉じて全てを思い浮かべると、身も心もひきしまる。そして感謝する。けれどもこの多忙な悲壮な幸福な大正十二年は去るのだ。時の早く去る淋しさ。

誠に本年は私の手には常に苦杯が握らされてあった。手に持つ杯には次々と苦き酒のみなみなみとつがれてあった。千仞《せんじん》の谷底にも落ちた。滔々《とうとう》たる濁流の波のまにまに流れもした。そうしてとにかく十二月にたどりついて、ほっと息をつぐと、もう本年は去るのだ。

苦痛逆境は人を育てる。もし逆境でくたばったら、逆境で人は殺される。もし逆境のどん底に、立ち上り立ち上り進むなれば、逆境は人を作る。苦しみ、淋しみ、貧しさ等、それらは全て人の嫌がるものである。けれどもそれらほど尊いものはない。天才と凡人との選択はここでつけられる。逆境は天才を躍り上がらせ、凡人をひき落とす。苦しい内に立って、跳り上がったものだけがどんどん進んでゆく。私は、私のこの一年の内に、寄せて来た大波小波の内に、とにかく進んで来たことを嬉しく思う。どんな人間苦の中にも、私をして立ち上がらせた力はただ念仏であった。

我が泣く時、如来は我の内に泣きたもう。

我が苦しむ時、如来は我の内に苦しみたもう。

我が悦ぶ時、如来は我が内に悦びたもう。

我が身心のどこ、微塵の内にもしみつきたもう如来は、我と共に起き、我と共に寝ね、我と共に働き、我と共に叫びたもう。万人悉く皆、私の本当を見てくれない時、我の全部をそのままに、飾らず、偽らず、ありのままに見たまいて、悪しきを叱り、善きをほめ、正しさを慰め、悲しさを励ましたもうもの、ただ彼、如来のみである。

我は如何なる迷路にわけ入るとも、必ず我に来たりて離れたまわざるは彼、如来である。

我は世の不急の小問題に頭を入れて、いわゆる蝸牛角上に事を争うの時、我は忘るるといえども忘れたまわざるはただ如来である。

かくして如何に苦しき時にも力強く苦しませたまい、如何に悲しき時にも心おきなく泣かしめたまい、我をして不退に生かしたまいしは、ただみ仏であった。

愛の世界に

刃をくぐって、火の中を過ぎて、恵まれたる法友を、あの山の蔭にたずね、あの谷の間に求めて、淋しきを慰め、苦しめる方と如来の慈光に蘇りつつ生き得たその間には、涙ぐましい愛情が私を力づけてくれた。呪詛《じゅそ》、悪罵、争闘、反逆……、それ等のうちを、たった一人で苦しい旅を続けるその姿の上には、常に心からなる法兄法姉たちの温かい涙が注がれてあった。

眼を閉じてじっと一か年を回顧する。私はペンを投げて心を瞑想、連想にまかせる。何時のほどにか涙の子になってしまう。愛の世界にでなければ生きられぬ。ありがとうございます。ありがとうございます。私は謹んで有縁の一切同胞にこの至情、満腔の涙を捧げる。

大地の上にたった一つの与えられたる人と人とを繋ぐ力は、ただ愛である、信である。家庭の内にも、ただ愛の血が通ってのみ生きているのだ。村も国も、愛の実行者によって、生きる者の幸福が与えられ、浄化され、美化される。愛でなくちゃいけない。愛の世界にでないと生きられぬ。私は愛せられた。涙の世界にたった一人逍遥《しょうよう》せねばならなかった私には、何時も誰かによって、涙ぐましい情の世界に生きることをゆるされた。

人間は経済的な動物である。物質の上に立った時、皆、貪欲《とんよく》、瞋恚《しんに》のあさましい久遠の本性の上に立つ。そうして争闘の世界になる。念仏の行者には必然に温かい愛の世界が与えられる。どうしたのだろう。真から信仰の人に接する時、一回出会っても十年交友の知己《ちき》となる。知る者だけはこれを知る。み仏の前には上もない下もない。ただ同胞である。

私は幸福である。この一年まことに私は苦しかった。けれどもいつも、どこでも、誰かによって愛されて来た。極端に悪まれる者は極端に愛せられる。私はいくらも人を愛しない内に、人からはむやみに愛せられて、深い呪いの世界と深い愛の世界とを味わって来た。真に人生は愛せらるべき世界である。極悪非道の死刑囚の上にすら、彼が死に就かんとする前には人間愛の涙と、法の慈涙とが注がれる。

人は愛せらるべき者である。月の空に輝くかぎり、陽の東に輝くかぎり、地上は永久に愛の世界である。愛の世界は生くべき世界である。人の眼の底には涙がしまわれてある。ただ人の世の煩悩の冷たき風は、その涙の流れ下ることを妨げる。その涙を凍らせる。信仰とは内なる光によって、その氷を解くことである。人を自然の涙の子にすることである。温かい人にすることである。

法蔵菩薩は十方衆生の苦悩と迷いとを見て泣きたもう。十方衆生の泣かねばならぬ業苦は、そのまま法蔵の涙である。念仏の行者は菩薩である。十方衆生総てに流れる法蔵の血涙に蘇って、法蔵の涙を我が涙とせる人である。真実の愛を実行せんと念願する人である。もし全人類が法蔵の血涙に蘇って、自然に流れ出ずる涙をわが小我のはからいによってとどめることなく、本当の人として誕生するならば、地上は如何に美しかろう。

心に仏を憶う、これ念仏である。三毒の胸の内に開く心蓮華、それは如来回向の真実である。念仏によって手を握るとは、真実によって手を握ることである。何で温かくなくてよかろうぞ。

私は泣いた。苦しんだ。けれども至る所に真珠のような念仏行者が見出される。

その方々によって私の涙を感謝の涙にまで変えさせられた。

幸福でなくて何であろう。

議論ぬきの世界

ほんとを言えば議論は議論で打ち砕かれる。理屈は理屈で壊される。

私は議論ぬきの世界に合掌する。

極重悪人が一夜彼の一切に気がついて懺悔《さんげ》の涙にぬれた時、彼の全霊に火がついて念仏の行者となる。そこは議論ぬきの世界である。

「親鸞におきては、『ただ念仏して弥陀にたすけられまゐらすべし』とよき人の仰《おおせ》を被《こうぶ》りて信ずるほかに別の子細なきなり　念仏はまことに浄土に生るるたねにてやはんべらん、また地獄に堕つべき業にてやはんべるらん、総じてもて存知せざるなり」（『歎異抄』）

（島地二三一一、西八三二、東六二七）

それは議論をぬきに涙を通して、ただ落ちねばならぬ者の有無を超越《こ》えた世界の風光である。

三津浜から高浜に向かう汽船の船室には二人の熱心なクリスチャンが私の前と横とに坐っていなさる。私の一言一行をも見のがすまい、聞きのがすまいとして船が高浜につく。今一度に着いた汽車から走って桟橋に来られた一人のクリスチャンの方、三人は雨の桟橋に立って船の出るのを待つ。船は動く、手をさしのべて一語もかわす暇なき法友と握手する。船は動く。私はただ感激して涙しつつ合掌念仏する。船と陸は次第次第に遠ざかる。雨の中に立つ三つの黒点はやはり動かぬ。私はただ合掌する。影は見えぬ。人はわからぬ。栈橋も見えぬ。やがて高浜も見えぬ。四国の天地のみ、残る。私は四国の天地に合掌する。議論のいらぬ世界、この事実の前に何の議論が間にあおうぞ。

継母に愛されざる姉妹、夜そっと家をぬけて墓場に至って、苔の下に冷たく眠る母の墓石の前に、「母様母様、何故早く死んで下さいました。お母様お懐しゅうございます。お母様、私たちは苦しうございます」。顔をも知らぬ母を恋うて、小さき石を拝む二人の子を見て、閑人《ひまじん》よ、言うことなかれ。石を拝むと。

ある人、愛児を失う、来る日来る日、小さい衣服をとり出して、目に涙をたたえて、ありし昔をしのびつつ、死せし子の魂の行く末を思う。人の体は死して腐る時、それぞれ炭酸、水、窒素の元素にかえる、魂などあるものかという理屈はこの場合何にもならぬ。

議論ぬきの世界から信仰が生まれる。信仰は議論では生まれて来ぬ。

愛や慈悲の世界にも議論は駄目だ。

涙に飢えた者に議論を教えるのは、腹の空になった者に石礫《いしころ》をやるのと等しい。

罪に泣く子はないか。

人生の淋しい子はないか。

物質文明に愛想をつかした子はないか。

兄よ。姉よ。おん身たちはどこのはてにさまよって行く。議論ぬきの門に立て。そして、人生最後の殿堂にかけこんでゆけ。そこには、汝を生かす涙の泉がある。法蔵のみ胸から湧き出して来る。

議論はこの殿堂の鍵ではない。

最後の厳粛感

最後という言葉ほど人の胸に厳粛な感じを与えるものはない。最後に立った時ほど人の胸に神々しい感じを与えるものはない。これが親子一生の見納めだという時には、如何なる悪人でも涙の人となる。私は七月には、「これが学校教育の最後だ」と、教壇に立つ最後の悲痛な厳粛な気分を味わわねばならなかった。

十二月五日の朝、私は祖先の墳墓に立った。下には私の一家、隣家、そして一郷の方々が見下される。冷たい霜を着て、祖先の墓が大小取りまぜて並んでいる。私の一家は、今日、数十年住みなれた故郷を去って広島に移るのだ。老いませし父母と、いとしき弟妹たちをつれて、故郷を後にする私は、今、静かに合掌している。生活が苦しいから故郷を去るわけでもない。

都会生活をあこがれるわけでもない。私は一家の中心であるけれども、度々故郷の老父を訪うにはあまりに忙しい体である。しかるに両親は老い行くままにただ私を杖とも柱とも思って生きている。私は私の自由なる活動を欲するために、老いたる両親に一日でも安堵した生活をさすために、家を閉じて、今朝、出ることにしたのだ。

祖先の墓に合掌すれば、万感胸に浮かぶ。
祖先は我が全霊に生きたもう。
祖先がはたさんとして果たし得ざりし全てを揚げて立たねばならぬ子孫である。
幾十百万の親、それはわが背後に立って、我の力となり、我を護りたもう。

祖先墳墓の地を去る。
その朝、私の胸はただ深い哀愁と感激と発奮に充ちて来る。
静かに
「光顔巍々　威神無極……」
「嘆仏偈」を捧げる。
その最後

「仮令身止　諸苦毒中　我行精進　忍終不悔」
（たとえ身を諸の苦毒の中に止《お》くとも、我が行は精進にして、忍びて終に悔いじ）
幾回となく口の内にくり返しつつ合掌すれば、
祖先は総がかりにて、我を讃め、我を護りたもう気がする。

「たとえ身を諸の苦毒の中に止くとも、我が行は精進にして、忍びて終に悔いじ」とは、法蔵が十方恒沙の諸仏に向かって、彼が説かんとする大誓願に対して彼自身の大決心を宣《の》べたものではないか。一切衆生の全苦悩を背負って立つ法蔵の大信心であり、大決心であり、誓いであり、念願の最高潮ではないか。彼は、如何なる火の中、水の中、地獄の中、毒の中、何の中へでも身を捧げて、十方衆生救済の大願成就のために、法蔵彼自身を完成するために、永劫の旅に出たではないか。

「仮令身止　諸苦毒中　我行精進　忍終不悔」
この強い叫びは、今も彼法蔵の大願であり、信心である。

私は今、祖先の墓に立って「仮令身止　諸苦毒中……」、法蔵が十方衆生を背負って十方恒沙の諸仏に「願を発して、彼に所欲を力精せん。十方の世尊、智慧無碍なり。常にこの尊をして我が心行を知らしめん」と念じて奮い立った如く、私も故郷を後に、祖先を後に、諸の苦毒の充ちた都会の地に、家庭を捧げて飛びこまねばならぬ。

彼法蔵は諸仏に向かって歓讃証護を求めた。諸仏は法蔵の大誓願を遂行することを、勧め、讃め、証し、護らねばならぬ。第十七願がそれである。そうして一切諸仏の威神力はそのまま法蔵の力となって一切衆生に向かって第十八願を説く。十八願は一切衆生救済の大願である。

私は今、幾十百万数量の祖先に対して、その歓讃証護を求める心になる。そうして、今すぐ、我を護り、我を讃めたもう祖先を背に、出て我が念願の成就の永遠の旅に出なければならぬ。祖先を背に、社会を前に、私はどうしても法蔵の、この「たとえ身を諸の苦毒の中に止くとも、我が行は精進にして、忍びて終に悔いじ」の偈を、我がものとせずにはおられない。

故郷の人として最後。

最後！　何という厳粛だろうぞ。

今日より後、故郷に帰り来るも、我が家には煙は立ち上るまい。

父母の我を迎えたもうこともあるまい。

幾歳、幾十歳、かくて我が家は廃家となって雑草に埋もれることだろう。

最後。人生は日々が最初である。又日々が最後である。

最後だと思う時、如何に呑気《のんき》にふざけた者も真面目になる。
最後は人生の腐敗をふせぐ最良な機会である。
大正十二年、それは苦しい一年であった。
しかもそれだけ懐しい一年であった。
私の一生になくてならぬ一年だった。
しかもそれさえ最後だ。
月日の小車は回り回って止まる時がない。
帰り来らざるか今年。
去り行くか十二年。

八　雪の国

我が故郷は雪の国である。一月二月にもなれば、毎日〳〵灰色の空から綿のような雪が暗いように降る。人も通わず、風も吹かぬ寂しい夕べ、綿のような雪が見る間に天地を真白にする。積雪満地。天地一白。地上数尺ただ雪である。戸も開けられず、外にも出られぬ吹雪の日がある。粉のような乾ききった小さい雪が狂う風にまい上がって、鋭い寒気に、全てを凍《こお》らせてしまう。

雪を見れば故郷を憶う。故郷を思えば、雪の景色を連想する。

雪の夜の爐《いろり》の側、言っただけでもなつかしい。乾いた惜しげなくたいてもいい薪がどっさり炉に投げこまれて、勢いよく燃え上がる。家内一同が集って、それに隣の心安い訪問客を加えて、長い夜が御法義の相続に更けてゆく。なつかしいこうした夜、干し柿に番茶をすすりながら、御開山様の御苦労の話が出る。

祖聖親鸞様が、北越のあの寂しい雪の天地を、迷える子のために、恵まれた同胞をたずねて、縁のつながるままに、石を枕に雪の褥《しとね》、愚禿と徹底して、極重悪人とすすりなきつつ念仏して歩かれた姿こそ、そのままが法蔵の精進、永劫苦行の姿ではないか。

『教行信証』を書き残されたこともありがたい。肉食妻帯の人間生活の上に、弥陀の本願のほんとうを体験して下さったことは万人易行の先駆《せんく》である。けれども、我が内にあって常に我を導きたもう親鸞様は、一文不知の卑賤の我々が爐の側で味わわせていただく、乞食僧のように歩んだ親鸞様である。

吹雪の道をじっと見つめていると、時おり人が通る。粉の中に立ったように、行かず、もどらず、行きなやむその姿を見た時、もしあれが親鸞様であったらと思ったことがある。

「もしあの道行く人が親鸞様であったら……」

私の子供心に残っている、こうした雪の旅の沈黙の聖者、その前には何の議論の用事もない。私の理屈ぬきに、親鸞様に言い知れぬ尊さ親しさを感ずるのは、雪の中の親鸞様を思った時である。雪については、苦しい恐しい経験の数々を持った私は、「念仏称えながら、雪の中に立った親鸞聖人」それを思う時、像なきに呼びかけ、声なきに答えたい気さえする。

親鸞聖人の御一生は決して、世のいわゆる幸福な方ではなかった。全ての苦悩の中に、地獄のどん底に落ちきった境地に、南無阿弥陀仏の光に、地獄一定のままを喜ばれたのである。雪の中の親鸞様、それこそ聖人の一生の象徴ではあるまいか。冬は寂しい時である。雪の冬である。そして、祖聖を憶う冬である。

祖聖、なつかしい、雪の日に
祖聖、尊とや、雪の中を還り来たって我に生きたもう
私は祖師聖人の尊い一生を雪を見つつ涙ぐむ
還り来たって念仏の子と共に生きたもう
法蔵の再来、如来の直使、ああなつかしい
雪の日、暮れに近い雪の日は寂しい

◆住岡夜晃著作出典一覧◆

本書もくじ	*『全集』収載巻	初出	著作年
序章　おいたち			
一　宿善	第一巻	光明23号	一九二一（大正十）
	第一巻	光明10号	一九一九（大正八）
	第六巻	光明15巻7号	一九三三（昭和八）
二　煩悶	第八巻	聖光1巻6号	一九二六（昭和元）
	第十巻	光明団叢書	一九三三（昭和八）
	第一巻	光明10号	一九一九（大正八）
三　信の火	第九巻	聖光3巻11号	一九二八（昭和三）
	第十四巻	光明18巻5号	一九三六（昭和十一）
第一章　親しい若い皆様よ			
一　親しい若い皆様よ	第一巻	配布文書	一九一八（大正七）
二　若き同胞よ	第一巻	光明1～4号	一九一九（大正八）

＊『全集』:『住岡夜晃全集』

三　活動は勢力の中心である	第一巻	光明6号	一九一九（大正八）
四　愛は女子の生命である	第一巻	光明1〜3号	一九一九（大正八）
五　継続する事の力	第一巻	光明7号	一九一九（大正八）
六　心の感応	第一巻	光明4号	一九一九（大正八）
七　光明が見えますか	第一巻	光明9号	一九一九（大正八）
八　我は如何なるものぞ	第一巻	光明9号	一九一九（大正八）
第二章　生きんとする努力			
一　生きんとする努力	第一巻	光明18号	一九二〇（大正九）
二　忍びざる心	第一巻	光明24号	一九二一（大正十）
三　人生はついにただ独りだろうか？	第一巻	光明17号	一九二〇（大正九）
四　謙遜の態度を取れ　敬虔の心をもて	第一巻	光明13号	一九二〇（大正九）
五　煩悩即菩提	第一巻	光明22号	一九二〇（大正九）
六　苦痛の中の法悦	第一巻	光明17号	一九二〇（大正九）
七　生きねばならぬと言う者に	第二巻	光明4巻7号	一九二二（大正十一）
八　試練の苦杯	第二巻	光明4巻3号	一九二二（大正十一）
九　逆境のどん底から	第一巻	光明23号	一九二一（大正十）

第三章　清く生きようとする願い			
一　無限の世界	第二巻	光明4巻2号	一九二二（大正十一）
二　清く生きようとする願い	第二巻	光明4巻6号	一九二二（大正十一）
三　虚栄の悪魔	第二巻	光明3巻9号	一九二一（大正十）
四　縛るもの	第二巻	光明5巻6号	一九二三（大正十二）
五　全て生命ある者よ	第二巻	光明3巻9号	一九二一（大正十）
六　決定	第二巻	光明5巻5号	一九二三（大正十二）
七　全てを赦せ	第二巻	光明3巻6号	一九二一（大正十）
八　囚人の叫び	第一巻	光明10号	一九一九（大正八）
第四章　人間性に立脚して			
一　囚われたる者	第二巻	光明4巻3号	一九二二（大正十一）
二　人間性に立脚して	第二巻	光明5巻1号	一九二三（大正十二）
三　心霊の奥殿に輝ける汝自身の実相	第一巻	光明19号	一九二一（大正十）
四　不言の言を聴く	第二巻	光明4巻6号	一九二二（大正十一）
五　火中の蓮華	第二巻	光明5巻7号	一九二三（大正十二）
六　大我に生きよ	第二巻	光明5巻4号	一九二三（大正十二）

七　おちきる境地	第二巻	光明5巻11号	一九二三（大正十二）
八　ありがたいの一語	第二巻	光明5巻5号	一九二三（大正十二）
第五章　使命			
一　年頭	第二巻	光明5巻1号	一九二三（大正十二）
二　五周年記念大会案内	第二巻	光明5巻3号	一九二三（大正十二）
三　涙の大会を送る	第二巻	光明5巻4号	一九二三（大正十二）
四　法難	第二巻	光明5巻6号	一九二三（大正十二）
五　濁水奔乱	第二巻	光明5巻6号	一九二三（大正十二）
六　使命	第二巻	光明5巻7号	一九二三（大正十二）
七　師走雑感	第二巻	光明5巻11号	一九二三（大正十二）
八　雪の国	第二巻	光明5巻11号	一九二三（大正十二）

◆住岡夜晃・真宗光明団、関連出版物◆

書名	発行年	発行所	内容
住岡夜晃全集（全二十巻）	一九六一〜一九六六年	真宗光明団本部	住岡夜晃の全著作
住岡夜晃先生（上）	一九八四年	真宗光明団本部	自伝・書簡・遺訓・年譜
住岡夜晃先生（下）	一九八一年	真宗光明団本部	伝記・追憶・座談会等
難思録	一九七七年	真宗光明団本部	昭和二十三、二十四年頃の晩年の著作
闡光録（上、中、下）	一九五〇〜一九五一年	真宗光明団本部	住岡夜晃法語
讃嘆の詩	一九八七年	真宗光明団本部	住岡夜晃法語
讃嘆の詩（上巻、下巻）	二〇〇三年	樹心社	住岡夜晃法語
真理への道	一九三一年	光明団出版部	住岡狂風の説く「二河白道」（広島県連七十周年に復刻版刊行）
若い友のために（住岡夜晃選集第一巻）	一九七一年	山喜房佛書林	住岡夜晃全集からの抜粋

真実を求めて（住岡夜晃選集第二巻）	一九七一年	山喜房佛書林	住岡夜晃全集からの抜粋
不退転の歩み（住岡夜晃選集第三巻）	一九七一年	山喜房佛書林	住岡夜晃全集からの抜粋
女性の幸福（住岡夜晃選集第四巻）	一九七二年	山喜房佛書林	住岡夜晃全集からの抜粋
現代に生きる（住岡夜晃選集第五巻）	一九七二年	山喜房佛書林	住岡夜晃全集からの抜粋
花日記	一九九八年	真宗光明団本部	住岡絹家（妻）の日記、随想等
真宗光明団六十年史年表	一九八〇年	真宗光明団本部	光明団活動の六十年の記録
真宗光明団八十年史年表	一九九九年	真宗光明団本部	光明団活動の六十一～八十年の記録
真宗光明団百年史年表	二〇一八年	真宗光明団本部	光明団活動八十一～百年の記録
コスモスの花	一九九〇年	真宗光明団本部	真宗光明団創立七十周年記念誌
住岡夜晃先生と真宗光明団	二〇〇八年	真宗光明団本部	真宗光明団創立九十周年記念誌
光明団と広島師範と軍港宇品と原爆といま	一九九三年	関係有志	原爆当時の回想と記録

あとがき

第一巻には主に、住岡夜晃（狂風）が一九一八年（大正七年）から一九二三年（大正十二年）、二十四歳から二十九歳にかけて『光明』誌に書いた文章を収録しています。

彼は一八九五年（明治二十八年）広島県山県郡原村でお念仏の法義を尊ぶ両親のもとに生まれました。二十歳、広島師範学校を出、故郷に近い小学校に就職しました。しかし、二十二歳の秋ごろから深い内面的な苦悶を抱え読書に没頭しました。二十四歳の夏、「信の火がかすかに点ぜられ」、彼は如来の慈光によみがえりました。その年の十一月、住岡狂風の名で「親しい若い皆様よ」の文を近隣の青年たちに配り、集まった青年たちと真宗光明団という求道団体を結成しました。翌年の一月、機関誌『光明』を謄写刷りで発行し、以後、戦時中政府の命令によって発行を停止させられた期間を除いて、五十五歳で亡くなるまで毎月『光明』の発行を継続しました。

真宗光明団結成当初、彼は小学校に勤務しながら、休日等をつかって講演活動を行っていました。初期は近隣の町村での活動が中心でしたが、やがて各地に支部ができ、その活動の範囲は広がっていきました。一九二三年三月末、団の五周年大会は飯室養専寺で盛大に挙行されましたが、大会終了直後から彼の活動に対する非難、攻撃、迫害が盛んとなり、彼は教職をとるか真宗光明団の活動をとるかの岐路に立たされました。彼は七月をもって教職を去り、十二月、家族と共に住みなれた故郷を出て広島に移りました。


本巻は全六章で構成していますが各章のおおまかな内容は以下のようなものです。

序章は、誕生より二十四歳までの彼の歩みがわかるものを、後に書いた文章の中から部分的に抜粋しました。

第一章には、彼が最初に書いた文である「親しい若い皆様よ」と、初年度の『光明』誌に掲載された文章を集めました。

第二章の文章からは人生に真向きになって取り組み、生きよとの熱いおこころが伝わってきます。

第三章の文章からは､道を求める第一歩には「清らかさ」への求めがあることを知らされます。

第四章の文章には、彼が身をかけて伝えようとした深い信心念仏の世界がさまざまな角度から綴られています。

第五章の文章は、彼が非難迫害によって教職を去り、故郷を出るに至る、その一連の経過の中で書かれたものです。

二〇一八年八月十五日

『新住岡夜晃選集』第一巻編集委員　**寺岡一途**

新住岡夜晃選集　第一巻　僧伽の誕生

二〇一八年十月十一日　初版第一刷発行

著　者　住岡夜晃

編　集　真宗光明団
　　　　新住岡夜晃選集編集委員会

発行者　西村明高

発行所　株式会社　法藏館
　　　　京都市下京区正面通烏丸東入
　　　　郵便番号　六〇〇－八一五三
　　　　電話　〇七五－三四三－〇〇三〇（編集）
　　　　　　　〇七五－三四三－五六五六（営業）

装幀　山崎　登
印刷・製本　中村印刷株式会社

ISBN978-4-8318-4271-8 C3015